国家出版基金项目
NATIONAL PUBLICATION FOUNDATION

《三联经典文库》

第二辑

2012 年国家出版基金项目

三联经典文库

134

论政党

翟放 著

生活·讀書·新知 三联书店

图书在版编目(CIP)数据

论政党 / 翟放著. -- 北京 : 生活·读书·新知三联书店, 2014.1
（三联经典文库第二辑）
ISBN 978-7-108-04657-4

Ⅰ. ①论… Ⅱ. ①翟… Ⅲ. ①政党 – 研究 Ⅳ. ①D05

中国版本图书馆CIP数据核字(2013)第252983号

134 论政党

责任编辑　龚黔兰
封扉设计　蔡立国
责任印制　郝德华
出版发行　生活·讀書·新知 三联书店
　　　　　(北京市东城区美术馆东街22号)
邮　　编　100010
经　　销　新华书店
印　　刷　北京鹏润伟业印刷有限公司
版　　次　2014年1月北京第1版　2014年1月北京第1次印刷
开　　本　787毫米×1092毫米　1/32　印张　7.5
字　　数　102千字
定　　价　28.00元

《三联经典文库》出版缘起

适逢生活·读书·新知三联书店八十华诞，为弘扬传统，接续文脉，回报读者，服务社会，我们决定策划出版《三联经典文库》。

1932年7月，生活书店在上海创办，此后，读书出版社和新知书店相继成立。本文库第一辑、第二辑所选图书，来自于这三家出版单位及其分支机构，以及1948年生活·读书·新知三联书店成立后的出版物，始于1932年，截至1951年，两辑各一百种。此为第二辑，涉及政治、经济、社会、军事、思想文化诸领域，涵盖专著、文集、散文、小说、诗歌、传记、报道等体裁，既有直面现实、追求真理、讴歌真善美、抨击假恶丑的原创作品，又有引介世界各国先进文化、传播新知、开启民智的迻译之作，真实记录了那一代知识分子的思考与探索、理想与愿景和对中华民族文化传承与创新所做出的努力与贡献。

本文库所辑入各书，多为名家名作，在版本方面，以初版一印本或经著译编者审定、修订、增订过的版本为首选，因此本文库又具有较为珍贵的版本价值和收藏价值。

本文库还将编选续辑，使之成为恢弘文化工程。诚挚希望读者给予批评和指正，帮助我们完善编选工作，再现三联经典作品之风采。殊为遗憾的是，由于年代久远，一些原著译编者及其后人未能取得联系并奉付稿酬，诚盼版权所有者与我们联系。祈愿三联前辈所创造的精神财富能薪火相传，为中华文化的伟大复兴增光添彩。

《三联经典文库》编辑委员会

2013 年 8 月

凡　例

一、本文库为重排本，由繁体字竖排版改为简体字横排版。

一、以忠实于原作、整旧如旧为编辑原则，对当时使用的专有名词、外文译名，以及民国时期的语言和特色予以保留。

一、原书注释如旧，编者所出的注释，均以“编者注”标明，以示与原书注释的区别。

一、对原书残缺或字迹漫漶之处，以□示代。

一、对繁简文本转换时的“如右”、“见左”一类，对应改为“如上（前）”、“见下（后）”。

一、对原书中各种错讹脱衍之处，直接订正，不再以其他符号标示。

一、对数字、标点符号的用法，在不损害原文语义的情况下，做必要的规范。

一、本文库各书均前插原书书影、原书版权页和文库版“本书出版说明”。

一、本书出版说明的撰写，以客观中立为原则，扼要介绍本书的内容、版本流转、著译编者的情况。

本书出版说明

本书分七章，即“阶级与政党”、“什么是共产党”、“党的组织”、“党的生活”、“党的巩固”、“干部”、“党的领导”，系统论述了共产党的性质和任务，并围绕党的建设，重点阐释了列宁有关党建的理论和思想，对于加强党的团结，巩固党的地位，通过开展批评和自我批评的党内生活来维护党的纪律，如何使用干部和处理党与群众的关系等方面，具有重要的借鉴作用和指导意义。

本书附录部分是“支部工作纲要”，分四部分，提出了如何开展支部工作的指导性意见。首先明确了支部是党的基本组织，是党的战斗单位和教育党员的讲堂，是党与群众关系的枢纽，是党在群众组织中的核心。其次指出了抗战时期支部的基本任务，包括坚持巩固与扩大抗日民族统一战线、坚持统一战线纲领；动员与组织群众帮助政府做抗战工作；了解群众的迫切要求，组织与帮助群众在“抗战高于一切”的原则下进行必要的生活改善；密切联系群众，倾听群众的意见，向群众解释党的主张，下发党报党刊；做好发展新党员的工作；给党员分配工作，并注意党员对党纪的执行和思想上的坚定；完成上级指定的工作。复次，提出了支部组织建设的具体意见。最后，对支部工作的开展，分八个方面进行具体指导，包括支部负责人怎样开展工作，支部干事会怎样领导小组，小组的工作程序和内容，支部如何开展组织工作、教育训练工作、宣传工作、坚持巩固和扩大抗日统一战线工作和救亡运动。

本书由中国出版社初版于1938年7月。早在1937年8月，中国共产党领导的工农红军改编为“国民革命军第八路军”时，中共即明确提出了改编后的军队，“必须加强党的领导，保持和发挥十年斗争的光荣传统，坚决执行党中央与军委会的命令，保证红军在改编后成为共产党领导的军队，为党的路线及政策而斗争”。本书在此背景下出版，对于抗战时期加强党的建设发挥了重要作用。此次出版，即以初版为底本。

翟放，情况不详。

生活·读书·新知三联书店

2013年8月

中国出版社 1938 年 7 月初版书影

黨政論

定價壹元五角

著者 瞿放
出版兼發行者 中國出版社
承印者 大中印務館
總經售 中國書報社
經售處 各埠各大書店

原书版权页

目次

第一章　阶级与政党

一　什么是阶级

资产阶级和无产阶级，是每个资本主义国家中基本的两个主要阶级。资产阶级占有统治地位。可是如果没有工人阶级，资产阶级就不能存在。如果一个资本家的工厂中没有几千几万工人为他辛苦工作，为他耗费血汗，则这个资本家就不能娱乐享福。工人的血汗，变成黄金、白银来充实富人底口袋。资产阶级统治地位底增长和巩固，必然同时使工人阶级增长，必然使工人阶级底数量和团结性也同时增加。这样，资产阶级就给自己准备起掘墓穴的人，随着资本主义制度发展的程度，就在这个制度内成熟起新的社会主义社会的力量。充满于资本主义社会中的，就是阶级、阶级斗争、阶级利益底矛盾。

可是什么是阶级呢？对于这个问题，列宁有以下的回答：

> 一般地讲来，什么是阶级呢？这就是社会中一部分人能把别一部分人底劳动攫为己有的那种现象。如果社会中某一部分人占有一切土地，这就有地主阶级和农民阶级。如果社会中某一部分人占有工厂、股票和资本，而别一部分人却在这些工厂中做工，这就有资本家底阶级和无产者底阶级。（见《列宁全集》俄文版，第二十五卷，第三九一页）

可是什么原因使社会上一部分人能攫取社会上别一部分人底劳动呢？而且为什么能发生许多“不劳而获”的人们的集团呢？要懂得这个问题，就要研究社会中生产结构底情形。每个工人、每个劳动农民都很知道生产是什么。人类要有衣、食、住才能生存。每个劳动者都很知道：建筑房屋、耕种谷麦、在工厂中制造一切为人类所必需的物品等等，要耗费多少劳动。每个工人、每个农民劳动者，都亲身参加生产的。

人们用劳动来改造自然界所产生的物体，来使这些物体能满足人们自己底需要和消费。人们找得地底下的煤炭、铁苗和煤油等等。人们就用劳动将这些有用物体开采出来。在冶金工厂中将铁苗熔铸成铁。再用铁来制造各种铁器——大至火车头，小至小刀或缝衣针。

大家都知道，人们不是单人独身进行劳动的，而是大家合力做工的。试问单独一个人，在煤矿中、铁矿中，在任何一个工厂中，能做什么事呢？并且首先就要问一问：如果没有几千几万人合力工作，难道这些企业能够发生吗？而且在大规模的企业中，单独一个人是不能进行劳动的。甚至一个利用自己的耕牛去耕种一小块土地的农民，如果没有别些人拿一切必需品来供给他，他也是不能生存的。家庭手工业者或手艺匠，看来好像是各自单独一个人在那里做工的，实际上，如果他没有工具和材料，没有别人费劳动给他造成的工具和材料，他也是什么工都做不成的。

这样我们就知道：生产是在社会中进行的。生产是社会性质的，可是生产却存种种不同的方式。

要进行生产，必须有土地、工厂、机器和原料。我们将这些东西都叫做生产资料。可是如果没有活人的劳动，如果没有活的劳动力，则生产资料就不能动作。只有劳动力应用到生产资料上面的时候，生产过程才算开始。各阶级在人类社会中的地位和作用，由每个阶级对于生产资料的关系来决定。例如在地主制度之下，基本的生产资料——土地——就握在地主手上。地主们就利用自己的土地私有权来剥削农民。在资本主义制度之下，一切企业、一切生产资料都握在资产阶级手上。工人阶级没有任何生产资料，这就是资产阶级剥削无产阶级的基础。

阶级和阶级差别，并不是只从资本主义制度才开始有的。在资本主义以前，在地主、农奴制之下（在封建制度之下）以及还在农奴制以前，就有了阶级。可是资本主义却以新的阶级来代替旧的阶级。资本主义创造了阶级和阶级斗争底新方法。

列宁说过：

阶级就是人们的大集团，各大集团在历史上一定的某种社会生产制度中占有各不相同的地位，它们对于生产资料有各各不同的关系（这些关系大部分是有法律明文规定的），它们在社会的劳动组织中有各不相同的作用，因之它们从社会财富中取得的份额以及取得这种份额的方法也是各不相同的。阶级就是人们底这样集团：各集团因为在某种社会经济结构中占有各不相同的地位，所以其中的某一个集团能攫取另一集团底劳动。（见《列宁全集》俄文版，第二十四卷，第三三七页）（摘自里昂捷也夫《政治经济学讲话》）

二　阶级间的相互关系

一切过去社会底历史，都是阶级斗争底历史。[1]

[1] 正确的说，是我们有文字考据的历史。一八四七年的时候，几乎完全不知有史以前时期的社会，亦不知有一切文字记载的历史以前的社会组织。此后，加斯特告森发现了俄国农村公社的土地占有制，美利尔证明了这种土地占有制是一种社会基础，在历史发展中，一切日耳曼种族都是从此产生出来的，而且逐渐弄清楚了：农村公社及其土地共有制，是印度至爱尔兰的原始社会形式。最后，摩尔根因发现了民族的实质及其在种族中的地位，由此剖明了这个原始共产主义社会在其标本形式中的内部组织，而这个问题遂告完成。随着原始公社的破产而开始社会的分化，终于分裂成为特殊的和相互对立的各阶级。（见一八九〇年《马恩共产党宣言》德文版恩格斯序言）

自由民和奴隶，贵族和平民，领主和农奴，行东和徒弟，总而言之，就是压迫者和被压迫者，都是经常的互相仇视，进行了不断的明争暗斗，每次斗争底结局，不是全体社会革命的改造，便是交战各阶级同归于尽。

在过去各个历史时代中，我们几乎到处可以看到社会分出各种等级，社会的地位分出各种等第。在古代罗马，有贵族、骑士、平民和奴隶；在中世纪，有封建领主、臣属、行东、徒弟和农奴；这些阶级里，又有许多特殊的等第。

从封建社会灭亡中所发生的近代资产阶级社会，并没有消灭阶级的矛盾；不过造出新的阶级、新的压迫手段、新的斗争形式，来代替那旧的罢了。

但是，我们的时代，即资产阶级时代，它的特点，就是把阶级矛盾弄简单了。全体社会现已渐次分裂成为敌视的两大营垒，互相对立的两大阶级：这就是资产阶级和无产阶级。

在中世纪底农奴里面，曾发生一种最初都市底小市民；从这种小市民中，便发展了资产阶级最初的分子。

美洲与环绕非洲海道的发现，替新兴资产阶级造成了新的活动园地；东印度和中国底市场，美洲底殖民，殖民地底贸易，交换手段和一般商品底增多，造成了商业、航业和工业空前的旺盛；因此，使革命分子便在颓废的封建社会里急激的发展了。

昔日封建的或行会的工业生产方法，再不能应付新市场上需要底增加了。手工工场业便取行会制的地位而代之。各业行东被工业的中等等级所排挤了；各行会组合间底分工，也就让各个工场底内部分工替代了。

但是市场一天比一天扩大了，需要又一天比一天增加了；这时手工工场业也不能应付了。于是蒸汽及大机器使工业生产革命化了。从此近代的大工业，便取了手工工场业生产底地位；豪富的工业家，大批产业军底总首领，即近代的资产者，便取了工业的中等等级的地位了。

大工业建设了世界的市场，这世界的市场，是由美洲底发现所预备起来的。世界市场引起了商业、航业、陆路、交通手段绝大的发达；这种发达又转而促进工业底发展；工业、商业、航业、铁路，既这样发达，资产阶级也照这比例发达起来了，资产阶级增加了自己的资本，并将中世纪留下的一切阶级，都尽情推倒了。

这样，我们看到近代资产阶级，其本身就是长期发展过程和生产及交换方法多次革命底产物。

资产阶级发展的每一阶段，在政治上的胜利也便跟着发展。在封建主统治的时候，他曾是被压迫的等级，在都市公社里，他便是个武装的自治团体，有的变成独立的都市共和国（如德意），有的变成王政治下纳税的第三等级（如法）；到了手工工场业时代，他在等级的或专制的君主政体下，与贵族相对抗，成为一般大王国底主要柱石；最后，在大工业和世界市场巩固之后，他就成了资产阶级，在近代代议制国家里取得了完全的政治统治。近代的国家政权，只是办理资产阶级的公共事务底委员会罢了。

资产阶级在历史上起了极大的革命作用。

在资产阶级得了统治的地方，他破坏了一切封建的、家长的、田园的关系。他无情地打破了结合人和他的"天然主宰"的复杂的封建联系，使人和人中间，只保存一种联系，即明目张胆的自利，刻薄寡情的"现金主义"。宗教的热忱、义侠的血性、儿女的深情，早已在利害计较的冰水中淹死了。个人人格变成了交换价值，无数永久特许的自由换了一个刻薄寡情的贸易自由。总而言之，资产阶级把从前用宗教和政治幻想所掩盖的剥削，变为赤条条的、没廉耻的、直捷的、残忍的剥削。

资产阶级，已将有名誉的受人尊敬的一切活动底光荣毁灭了。他把医生、律师、僧侣、诗人、科学家变成了他的雇佣劳动者。

资产阶级已将家庭爱情底面帕扯碎了，把家庭关系，弄成了单纯的金钱关系。

资产阶级已揭破了反动派所赞赏的中世纪所固有的蛮力，他就是懒惰逸乐，也可以做到的。只有他第一次表示了人底活动所能创造的东西。他所做成的惊人艺术远胜于埃及底金字塔，罗马底水道和中世纪底礼拜堂；他领导了的长途远征，超过了前代一切国民底迁徙和十字军东征。

资产阶级，倘不将生产工具不断的革命，因之使生产关系以及全部社会关系跟着革命，那是一定不能存在的。反之，以前的一切工业阶级存在的第一个条件，就是旧的生产方法保存不变。生产不断的革命，全部社会关系不断的震动，永久没有信心与从事运动，这就是资产阶级时代和一切前代不同的标帜。古来凝固的、冰结的各种关系，都跟着古来视为神怪的表象与见解一扫而去；就是新式事物，也等不到安固，早成废物。凝结的散作烟云，神圣的堕入秽亵。人们至此，也只得用冷酷的眼光来观察自己的生活状况和相互关系了。

为了生产品的销售而时常扩张的需要，使得资产阶级驰驱全世界。他不得不到处深入，到处栖止，到处发生关系。

资产阶级，垄断了世界市场，于是各国底生产和消费，便都带了世界的性质。无论反动派如何愤恨，但资产阶级把以前工业所由立足的民族地盘加以摧毁了。最旧的民族工业部门都已被消灭，或在消灭。它们的地位就被新的工业部门夺去了，而这些部门的经营，就成为一切文明国民生死关头的问题；这些部门所用的原料，已不是国产，而是国外输入的；这些部门底生产品，不专在国内销售，而且供给世界各地的。从前的需要，只限于国货就够了；如今却要求国外的生产品。从前只株守一乡一国，如今各国国民须有各方面的联系和相互依赖了。物质生产方面如此，精神产品方面亦如此，各国国民知识的创作，已成了世界的公有物。民族的片面性和狭隘性，渐渐没有存在的余地。从许多民族文学和地方文学中形成着一种世界文学。

资产阶级，由于急激的改良了一切生产工具，以及不断地开拓了交通手段，把一切民族，连极野蛮的民族，尽数牵入文明队里。他的廉价商品，就是他用以打破中国万里长城和征服极端排外的顽固野蛮人的重炮。世界各国，因为要免得灭亡，也只得采用资产阶级的生产方法，将所谓文明输入他们的社会，就是说也成了资产者。总而言之，资产阶级按照自己的模型来造成世界。

资产阶级，使乡村服从了都市的支配。他建设了许多都市；又将都市增加了比农村更多的人口，使多数人民脱离了朴素的农村生活。他既使乡村屈服于都市，又同样使野蛮和半开化的国家屈服于文明国家，农民的国民屈服于资产阶级的国民，东方屈服于西方。

资产阶级将生产手段、财产和人口底涣散状况渐渐除去。他把人口团聚了，生产手段集中了，财产聚在少数人手里了。其必然的结果，便是政治的集中。他将各个利益、法律、政府、税则不同的独立区域或联系很少的区域，团结起来，合做一个民族、一个政府、一种立法、一个民族的阶级利益、一个国境、一样税则。

资产阶级统治不过百年，他造成的生产力，却比以前一切时代生产力底总和还要大。自然力底屈服，机器底采用，工业和农业上的化学应用，轮船、铁道、电报、全球各部之变为生产区域，河流底航行，好像从地下唤起的全人类——在前代，谁曾想到这样的生产力，居然包含在社会的劳动里面呢？

但是，我们已经晓得做资产阶级基础底生产和交通手段，是萌芽在封建社会里面。这种生产和交通手段发展到一定的地步，封建社会的生产及交换所由产生的条件，农业和手工工场业底封建的组织，一句话说，封建的财产关系，便不能和那已发展的生产力适合了。这些关系，便阻碍了生产，而不是促进生产了。这些关系也变成了许多的障碍。这些关系必须打破，而且也被打破了。

于是，自由竞争，便去代替了它们的地位，适合于这自由竞争的社会和政治组织，也就跟着出现；资产阶级的经济和政治统治，也就跟着得到了。

同样的运动，又映到我们的眼里了。有其资产阶级的生产关系和交通条件，有其资产阶级的财产关系的近代资产阶级社会，创造这样雄厚的生产和交通手段，好像术士念咒召来魔鬼，现在却没有镇伏它的能力了。数十年来的工商史，只是近代生产力反对近代生产关系，反对资产阶级所赖以生存和统治的条件的财产关系谋叛底历史。证明这个事实，只要举出商业上的危机就够了；这种危机是定期地反复发生，一回凶过一回，使资产阶级整个社会底存在发生问题，在商业危机的时候，不但当时现有的生产品大部遭系统的破坏，连从前造成的生产力，也要一同破坏。在危机时候，发生一种过去一切时代所梦想不到的社会流行病——就是生产过剩的流行病。社会突然出现回到野蛮的景象，仿佛饥馑骤至，又仿佛举世大战，衣食全要断绝，一切工商业，现出就要破坏的状况。这是什么缘故呢？这全是社会文明过度、物品太富、工业太多、商业太多的缘故。在社会所掌握的生产力，不能再推进资产阶级的文明和资产阶级财产关系底发达了；反之，生产力太雄厚，受财产关系阻碍着；一旦生产力打破这些障碍，便使资产阶级社会全部扰乱，威吓资产阶级私有制的存在。资产阶级的关系狭小，不能包含其所创造出的财富。那么，资产阶级怎样去克服这些危机呢？一面被迫毁坏生产力底大部分，一面夺取市场，并尽量掠夺旧市场。但结果怎样呢？就是资产阶级准备着更广大和更凶猛的危机而减少防止危机的手段。

资产阶级用以颠覆封建制度的武器，现在却转而反对资产阶级自身了。

但是资产阶级，不但锻炼了致自己死命的武器，还培养了一些使用此种武器的人——近代的工人，即无产者。

无产阶级（就是近代工人阶级）跟着资产阶级，即资本，照同一的比例发达了。这些工人，必须有工做才能生活，必须他们的劳动能增加资本才有工做。这些工人不能不把自己按件出卖，他们便是一种商品，和一切别的贸易品一样，因此免不了竞争底一切偶然性，市场底一切动摇性。

无产者底劳动，因机器发达和分工，而失掉完全的独立性，便自然使工人失掉劳动的一切兴趣。他们变成了机器底附属品，做的全是些最简单的、最呆板的、又最容易学会的技术。因此，产生工人所需的费用，限定只够支持工人自身和延续其后代所必需的生活费就得了。但是一切商品底价格，因此劳动的价格[1]也是一样，即等于它的生产费。所以工作越简单，工资也就越减少。并且，由于机器应用和分工的进步，使劳动量也同样增大了。这或由增加劳动时间、在一定时间内劳动的加多，或增加机器底速力等等而来的。

近代工业把那家长式的行东底小作坊，变成了工业资本家底大工厂了。在工厂里烦闷着的工人群众，都组织得和军队一般。他们都已成了产业军底兵卒，在最高级长官的重重监视底下动弹不得。他们不但做了资产阶级底奴隶，资产阶级国家底奴隶，并且时时刻刻做了机器、稽查，而且首先是资产者厂主个人底奴隶。这专制主义越是公开宣布营利是它的终极目的，它就越发是可贱、可恶、可恨。

近代工业越发达，手工劳动的技术和腕力的作用越

[1] 即劳动力价格。——编者

小，男子底劳动越发被妇女和儿童的劳动所排挤。年龄和男女底差别，对于工人阶级，没有任何社会的意义。只有各种劳动工具，因着年龄和男女的不同而有不同的费用了。

工人被厂主剥削完了，得到现金作为自己工资的时候，同时又被资产阶级底别一部分——房东、店主、高利贷者等等所剥削。

中等等级底过去的小人——小商人、小工业家和小钱庄老板，手工业者和农夫——所有这些阶层，都渐渐降到无产阶级队伍里了。这原因一半因为他们的小资本够不上经营大规模的近代工业，不能与大资本家竞争；一半因为他们的专门技术，自从有了新生产方法，而失其价值。因为这样，人民底各阶级，便补充到无产阶级里来了。

无产阶级经过种种的发展阶段。无产阶级一发生，便开始其反对资产阶级的斗争。最初的斗争是各个工人反对直接剥削自己个别的资产者；再进一步，就是同一工厂工人联合反抗；更进一步，便是一个地方同业工人合力反抗。他们的斗争，不但是反对资产阶级的生产关系，而且是反对生产工具的本身；他们消灭竞争的输入品，破坏机器，焚烧工厂，他们企图用暴力来回复中世纪工人的故态。

在这个阶段上，工人形成着散处全国和被竞争分散的群众。工人之团结为更大的群众还不是他们本身团结的结果，全是资产阶级团结的结果。当时，资产阶级为了达到自己政治上的目的，应当和还能够运动整个的无产阶级。因此，在这个阶段上，无产者的斗争，并不是反对自己的敌人，而是反对敌人底敌人——就是专制政体底余孽，地主、非工业的资产者、小资产者。所以历史上一切的运动，都是集中在资产阶级的手里，而在这些条件下所得的每一胜利，都是资产阶级的胜利。

可是随着工业发达，无产阶级不但人数增加，而且结成大的群众，力量加大，而且日益感觉到自己的力量。由于机器日益除去劳动条件底差别，无产阶级底利益及生活状况，就渐趋一致，而工资几乎到处降到同样低的水平。资产阶级里面，又渐起竞争，商业危机由是而起，工人底工资，也因此更被动摇。机器不断的进步，使无产者的生活状况日益不安；个别工人与个别资产者之间的冲突，又渐渐带着两阶级间冲突的性质。于是乎，工人就开始形成团结（联合）去做共同斗争来反对资产者。他们的联合，是在于保护自己工资。他们甚至建立着永久的联合，以便在可能的抗争到来时，能保证自己有所资助。有些地方，斗争转为公开的暴动。

工人往往得到胜利，但这种胜利不过是一时的事。他们斗争的真正的效果，并不是直接的胜利，而是工人底团结继续扩大。促成这种团结的，就是近代产业所造成日益进步的交通手段，而这种交通手段把各地的工人都联合起来了。集合同性质的许多地方斗争，成为全国的阶级的斗争，正有这种联系底需要。但是一切的阶级斗争，都是政治斗争。这种团结，如果叫交通不便的中世纪的市民来做，决非几世纪不行；由于铁路的缘故，近代的无产者，只消几年便成就了。

无产者这样组成一阶级，便自然组成一政党；但因为工人自己之间不免互相竞争，这种组织又时常破坏。可是它经常一再复兴起来，越发强，越发坚固，越发有力。它利用资产阶级内部的分裂，迫得立法机关承认工人个别的利益。例如英国十小时工作制法案，便是这样。

旧社会内部的许多冲突，在各种关系上促进着无产阶级底发展过程。资产阶级进行着经常的斗争；当初，反对贵族，随后，反对那与工业发展有利害冲突的一部分资产阶级，而且常常反对外国资产阶级。在一切这些战斗中，资产阶级不得不诉之无产阶级，求他的帮助，因此便推动着无产阶级走上政治运动的道路。于是，资产阶级，就将自己的教育的要素，即反对自己本身的武器，交给无产阶级。

其次，我们已经知道，工业的发展推动着统治阶级底许多阶层走向无产阶级底队伍中，至少也使得他们的社会地位危殆不安。无产阶级也因此得着许多教育的要素。

最后，在阶级斗争要决裂的时期，那统治阶级整个旧社会里面分崩底过程，很带着这样汹涌激烈的性质，有一小部分的统治阶级，竟脱离统治阶级，投入革命阶级——掌握将来的阶级。从前有一部分贵族投向资产阶级，如今也有一部分资产阶级投向无产阶级，即那一部分能够理论上了解历史运动整个行程的资产者思想家，更是如此。

现在和资产阶级对峙的各阶级当中，只有无产阶级，才是真正的革命阶级。随着大工业的发展，别的一切阶级正在衰颓和归于消灭；但无产阶级，却是大工业本身的产物。

中等阶层——小工业家、小商人、手工业者、农民——所有他们同资产阶级斗争，为的是保持其中等等级的地位。因此他们不是革命的，而是保守的。甚至不但保守，他们并且希望把历史的机轮向后退转，简直是反动的。如果他们有时是革命的，那也只是因为觉得自己将要坠入无产阶级的队伍中去，因为他们不是防卫现在的利益，而是防卫将来的利益，因为他们抛掉自己原来的观点，去站在无产阶级的观点。

流氓无产阶级是旧社会最下层腐朽的消极产物，有许多都被无产阶级吸引到革命运动中来了，但按他们的全部生活状况，更易倾向于出卖自己，做反动阴谋。

旧社会的生活条件，现已在无产阶级的生活条件中被消灭了，无产阶级，并没有财产；他和他的妻子底关系，与资产阶级的家庭关系没有丝毫相同之点。近代的工业劳动，近代资本底奴役，英国同法国一样，美国同德国一样，都没有丝毫民族的特性存在。法律、道德、宗教——凡此一切，在无产阶级看来，无非是资产阶级底偏见，其背后都隐藏着一定的资产阶级利益。

从前一切阶级，一日得了统治，没有不拼命使整个社会屈服于保证他们的致富的条件，好巩固他们已得的生活境况。无产者只有把以前的自己的分配方法推翻。因此，把从前一切分配方法推翻，才能夺取社会的生产力。无产者并没有什么自己的东西要保卫防护；他们应当破毁一切从前所存的私有的保证和私有的保险。

古来一切发生的运动，都是少数人的运动，或是为了少数人利益的运动。无产阶级运动，是为了大多数人的利益的和大多数人底独立的运动。现在社会最下层的无产阶级，若不把构成官场社会的那些阶层的上层建筑全部抛出九霄云外，自己是不会翻身上达的。

无产阶级反对资产阶级的斗争，如不按其内容，而按其形式来说，首先是民族的斗争。各国的无产阶级，当然必须首先打倒本国的资产阶级。

我们默察无产阶级发展的大势，其初是现存社会内部多少隐藏的国内战争，末后这个战争爆发起来，成了公然的革命，无产阶级用暴力推倒资产阶级，建立自己的统治。

我们已经知道，向来一切存在的社会，都建筑在压迫阶级和被压迫阶级的对抗上面。但要压迫某一阶级，至少总还要给他能够维持奴隶生存的条件。在农奴制时代，农奴也还可以变成都市公社的公民；在封建专制治下，小市民也还可以变成资产者。然而近代的工人，却完全与此相反：不但不能随着工业的进步而上进，却是逐渐低下，逐渐沉沦到自己阶级的生存条件以下。他竟变作贫民，于是贫困的发展，比人口和财富还要快。这显然证明，资产阶级已不配再当社会的统治阶级，已不配再强制整个社会来维持其阶级存在的条件，作为调整的法案。他不配做支配者，是因为他那种奴隶制，不能保障奴隶的存在，是因为他已经不是为奴隶所养，已经在不得不养奴隶的情况中了。社会已不能在资产阶级底权力下生存了，换句话说，资产阶级的存在，再不能与社会相容了。

资产阶级存在和统治底根本条件，就是财富积累在私人手中，资本底成立和增大，资本存在的条件是雇佣劳动，雇佣劳动全靠工人互相竞争。资产阶级无意中促进工业的进步，却已使工人从竞争所分裂的状态中变为由协力团结而成的革命的统一。这样，随着大工业的发达，资产阶级的生产和占有底基础从根破坏了。资产阶级所造成的，首先就是自己的掘墓人。资产阶级底倾覆和无产阶级底胜利，同是免不了的事。（摘自《马恩共产党宣言》）

第二章　什么是共产党

一　党是工人阶级底先进部队

党首先应该是工人阶级底先进的部队，它应当吸收工人阶级底一切优秀分子，他们的经验，他们的革命精神和他们对于无产阶级事业的大无畏的忠实。可是要成为真正的先进的部队，党就必须用革命的理论，对于运动规律的知识和对于革命规律的知识，来把自己武装起来。没有这一点，它就无力量来领导无产阶级底斗争，来引导无产阶级。倘若党只限于登记工人阶级群众底日常生活及思想，倘若它跟着自发运动作尾巴，倘若它不会克服自发运动底消极性和政治冷淡性，倘若它不会超出于无产阶级底暂时利益之上，倘若它不会把群众提高到无产阶级底阶级利益程度之上，它就不能成为真正的党。党应当站在工人阶级底前面，它应当比工人阶级看得远些，它应当引导无产阶级，而不是跟着自发运动做尾巴。第二国际底政党是鼓吹“尾巴主义”的，这些政党是资产阶级政策底执行者，这种政策把无产阶级弄成为资产阶级手上的工具。只有站在无产阶级先进的部队底观点上的，并能够把群众提高到无产阶级底阶级利益程度上底政党——只有这样的政党才能使工人阶级脱离工联主义底道路而将它变成独立的政治力量。党是工人阶级底政治领袖。

上面已经说过工人阶级斗争底困难，斗争环境底复杂，战略与策略，后备军与随机应变，进攻与退守。这些条件的复杂程度，即使不比战争条件底复杂程度大，至少也不会比战争条件底复杂程度小。谁能认清这些条件呢？谁能给千百万无产者群众以正确的方针呢？无论哪一个在战场上作战的军队，要是它不愿意使自己必然遭受失败，它就一定要有经验丰富的参谋部。无产阶级如果不愿意把自己交与凶恶的敌人去吞食，那么它就更其一定要有这样的参谋部，这难道还不明显吗？可是这种参谋部在什么地方呢？只有无产阶级底革命政党，才能够成为这样的参谋部。工人阶级没有革命党，这就等于军队没有参谋部。党就是无产阶级底战斗参谋部。

但是党不能仅仅是先进的部队。同时它应该是阶级底部队，阶级底一部分，应当在自己生存底一切根蒂上与阶级紧相联系。当阶级还没有消灭的时候，当无产阶级还由其他阶级出身的人来补充的时候，当整个工人阶级还没有可能去提高到先进部队底程度的时候，先进的部队与其余工人阶级群众的区别，党员与非党员的区别是不会消灭的。可是，如果这种区别变成了隔离，如果党自己闭关自守和脱离了非党群众，那么党就不成其为党了。

如果党不和非党群众发生密切关系，如果在党和非党群众中间没有联络，如果这些群众不接受它的领导，如果党在群众中没有精神上的和政治上的信用，那么党就不能领导阶级。不久以前，我们的党从工人中招收了二十万新党员。最可注意的事实，就是这些人与其说是自己跑来加入党，不如说是由所有其余的非党群众派来加入党的，这些非党群众曾积极参加了接收新党员的工作，而且不得他们的赞同，根本就没有接收过新党员。

这件事实证明，广大的非党工人群众，都把我们的党看作他们自己的党，看作亲近的和自家的党，他们认为党底发展和强固是与他们的利益血肉相关的，他们自愿把自己的命运信托于党底领导。显然用不着证明，如果没有这种不可捉摸的精神上的线索，把党与非党群众联结起来，那么党就不会成为本阶级底有决定作用的力量。党是工人阶级底不可分离的一部分。

列宁说：

> 我们是阶级底党，因此差不多整个阶级（而在战争时候，在内战时代，则完全是整个阶级）底行动都应该受我们党底领导，都应该尽可能地密切接近于我们的党，可是如果在资本主义之下，有什么时候，差不多整个阶级或者是整个阶级都能提高到自己的先进部队底程度，自己的社会主义政党底觉悟性与积极性底程度，那就是痴想主义和“尾巴主义”。还没有一个明白事理的社会主义者怀疑过：在资本主义之下，甚至职工组织（比较原始的，比较

容易为落后群众底觉悟程度所了解的组织）都不能包括几乎整个工人阶级或者是完全整个工人阶级。如果忘记先进部队与趋向于它的一切群众间的区别，忘记先进部队底经常的责任是在把日益广大的阶层提高到这先进部队底程度，那么，这就是欺骗自己，不愿看见我们的任务底重大性，缩小这些任务。（请参看《列宁全集》第六卷，第二〇五页到二〇六页）

二 党是工人阶级底有组织的部队

党不仅是工人阶级底先进部队。倘若它想真正领导阶级底斗争，它应当同时还是本阶级底有组织的部队。在资本主义条件之下，党的责任是非常伟大和繁杂的。党应当在内部的和外部的发展底非常艰难的条件之下，领导无产阶级底斗争，当环境需要进攻的时候，它就应该领导无产阶级去进攻，当环境需要退守时，它就应该领导无产阶级避开劲敌底打击。它应当向千百万无组织的、非党工人群众灌输斗争中的纪律性和计划性、组织性和坚定性。可是党只有当它自己是纪律性和组织性底代表时，只有当它自己是无产阶级底有组织的部队时，才能完成这些任务。没有这些条件，便谈不上什么党对于千百万无产阶级群众的真正领导。党是工人阶级底有组织的部队。

关于党是一个有组织的整体这个思想，在列宁关于我们的党章第一条的著名公式里就确定了，在列宁底这个公式里，党是看作为各组织底总和，而党员则为党组织中某一组织底组员，孟塞维克还在一九〇三年就反对这种公式，他们提出了一个自由报名入党的“系统”，这种“系统”使每个“大学教授”和“中学生”、“同情者”和“罢工者”，凡是多少帮助党的，但并不加入而且不愿加入党的任何组织的人，都可以取得党员底“称呼”。自然用不着证明，如果这个新奇“系统”在我们党内巩固了，那么，结果一定会弄到党里充满了大学教授和中学生，一定会把党弄成了一个散漫的、无定形的、无组织的“结构”，使党沉没在“同情者”底大海中，抹煞党与阶级中间的界线，丢开党关于把无组织的群众提高到先进部队底程度的责任。不用说，在这样的机会主义的“系统”之下，我们的党是不能够在革命进程中充当工人阶级底组织核心的。

列宁说：

> 如果站在马尔托夫底观点上，那么党底界线还是完全不确定的，因为在他看来，“每一个罢工者”都可以“宣布自己是党员”。试问这种散漫性有什么益处呢？不过是“名称”底广阔的散布。它的害处就是灌入一种紊乱组织的观念——把党与阶级混为一谈的观念。（请参看《列宁全集》第六卷第二一一页）

但是党并不仅是党组织底总和。党同时还是这些组织统一的系统，是这些组织正式联合起来的一个整体，有上级的和下级的领导机关，有少数服从多数的原则，有为全体党员所必须履行的切实的决议。没有这些条件，党就不能成为统一的有组织的整体，不能对工人阶级底斗争实行有组织的和有计划的领导。

列宁说：

> 从前，我们的党并不是正式有组织的整体，不过是许多部分的团体底总和，所以在这些团体间，除了思想影响以外，别的关系是不能有的。现在我们已经成为有组织的党，这也就是权力底造成，思想底威信变成为权力底威信，党的下级机关服从上级机关。（请参看同上卷第二九一页）

少数服从多数的原则，党的工作由中央来领导的原则，往往引起不稳定分子底攻击，他们斥责这种原则是“官僚主义”、“形式主义”等等。显然用不着证明，如果不实行这些原则，那末，党这个整体底有计划的工作和对工人阶级斗争的领导，就没有可能。在组织问题上，列宁主义总是一贯地实行这种原则的。列宁把那些反对这种原则的斗争叫做只值得受人讥笑和受人唾弃的“俄国的虚无主义”和“老爷式的无政府主义”。

请看列宁在《进一步退两步》那本书上关于对这些不稳定分子所说的话：

俄国的虚无主义者特别具有这种老爷式的无政府主义。党的组织，在他们看来好像是神奇古怪的“工厂”；部分服从全体和少数服从多数，在他们看来好像是“奴隶束缚制”……一听见在中央机关领导之下分工，他们就可怜而又可笑地狂吠起来，反对把人们变成“机轮和螺旋”……一提起党的组织章程，他们就做出看不起人的样子和说出目中无人的意见，说什么“完全不要章程也是可以的”……显然的，这种关于所谓官僚主义的喊声，不过是为的要掩饰他们对于中央机关底人员的不满意，不过是为的要掩饰门面……你是官僚主义者，因为你是由代表大会委任的，不根据我的意见而是违反着我的意见；你是形式主义者，因为你依靠着代表大会底形式的决议，而不依靠我的同意；你作事极端机械，因为你只依靠党的代表大会底“机械的”大多数，而不顾及我想得到简任位置的希望；你是专制魔王，因为你

不愿意把权柄交给亲热的老伙伴们[1]。(请参看《列宁全集》第六卷第三一〇页和二八七页)

三　党是无产阶级阶级组织底最高形式

党是工人阶级底有组织的部队。可是，它并不是工人阶级底唯一的组织。无产阶级还有别的许多组织，没有这些组织，他就不能与资本制度作真正的斗争，这些组织就是职工会、合作社、工厂、制造厂的组织，国会党团、非常的妇女联合会、报馆、文化的教育组织，青年联合会、革命的战斗的组织（在公开的革命行动的时期），代表苏维埃——国家形式的组织（假如无产阶级握得政权）等等。这些组织底绝大多数都是非党的，只有一部分是直接接近于党或成为党底支脉。所有这些组织在某种条件之下，是工人阶级所绝对必要的。因为没有它们，就不能巩固无产阶级在各种斗争范围内的阶级

[1] 这里所说的，是阿雪洛德、马尔托夫、波特列索夫等人这些“伙伴”，这些人不服从第二次代表大会底决议并且责备列宁为“官僚主义者”。斯大林注。

阵地；没有它们，就不能锻炼无产阶级这个负有推翻资产阶级制度而建立社会主义制度之使命的力量。但是，组织既然这样繁多，怎样去实现统一的领导呢？有什么把握可以保证在领导上不因组织太多而引起纷乱的现象呢？有人会说，这些组织，各干各的特别范围内的工作，因此它们彼此不致互相妨害。这当然是对的。可是还有一点也是对的，就是这一切组织应该在一个方向上进行工作，因为它们都是为一个阶级——无产阶级——服务的。试问：谁来决定为这一切组织进行工作时所应当依照的总路线、总方向呢？那里有这样一个中心组织，这个组织不仅是因为有必要的经验而足以定出这条总路线，而且因为它有足够的威信而可以激动这一切组织实行这条路线，以达到领导方面的统一，而免除间断现象呢？

这样的组织就是无产阶级底党。

党有一切根据来做到这一点：第一，因为党是工人阶级里的优秀分子集合的地方，这些分子与无产阶级底非党的组织有直接联系，而且常常领导它们；第二，因为党既然是工人阶级里的优秀分子集合的地方，所以它就是一个造就工人阶级领袖的最好学校，这些领袖，能够领导本阶级底一切形式的组织；第三，因为党既然是造就工人阶级领袖的最好学校，所以按其经验和威信说来，它就是这样一个唯一的组织，只有这个组织才能够把无产阶级斗争底领导集中起来，并这样来把工人阶级底所有的和各种各样的非党组织，都变成为服务机关和联系带，使党与阶级联结起来。党是无产阶级阶级组织底最高形式。

当然这并不是说，非党的组织、职工会、合作社等等，应该正式服从党的领导。问题底本质不过是在于加入这些组织的党员们，当然是有威信的人，他们在这些组织里应该采用一切说服的办法，使得这些非党的组织在工作当中与无产阶级底党接近，并自愿接受这个党底政治领导。

就是因为这个缘故，所以列宁说：

> 党是无产阶级联合底最高形式，这个最高形式底政治领导，应当普遍到无产阶级底一切其他形式的组织方面。（请看《列宁全集》第

二十五卷，第一九五页）

正是因为这个缘故，所以那种主张把非党组织看作“独立”组织和“中立”组织的机会主义理论——这种理论产生了一些不依赖于党的议员以及离开党的出版人员、近视的工会官僚和小资产阶级化的合作运动家——是和列宁主义底理论与实际完全不能相容的。

四　党是无产阶级专政底工具

党是无产阶级组织底最高形式。党是无产阶级内部的和这个阶级底各组织中的基本的领导核心。可是从这里并不能得出结论说可以把党看成为自我目的，看成为自顾自的力量。党不仅是无产者底阶级联合之最高形式——而且同时它是无产阶级手里的工具，当还没有争得专政的时候，便运用它来争得专政，而在已经争得专政的时候，便运用它来巩固和扩大专政。如果夺取政权问题，没有摆在无产阶级面前，如果帝国主义底条件、战争底必然性、危机底存在，没有要求把无产阶级底一切力量集中到一个地点，把革命运动底一切线索集中在一个地方，以便推翻资产阶级而争得无产阶级专政，那么党底意义就不能提到这样高，党底作用就不能超过无产阶级组织底一切别的形式。无产阶级之所以需要党，首先就是因为党是无产阶级顺利夺取政权时所必要的战斗参谋部。显然用不着证明，如果没有一个能够把无产阶级群众组织集合于自己的周围和在斗争进程中把整个运动底领导集中起来的党，那么，俄国无产阶级是不能实现自己的革命专政的。

但是，无产阶级之所以需要党，并不只是为的要争得专政，而且更其是为的要保持专政，巩固专政和扩大专政，以谋社会主义底完全胜利。

列宁说：

大概，现在差不多无论什么人都看到了，如果我们党内没有极严格的真正如铁一般的纪律，如果不是工人阶级全体群众那样极完全地和大无畏地拥护党，就是说，如果不是工人阶级中一切有思想的、忠实的、不怕牺牲的、有

> 威信的、能够领导或吸引其余落后阶层的人们那样极完全地和大无畏地拥护党，那么，布尔什维克不仅不能把自己的政权维持到两年半，而且不能维持到两月半。（请参看《列宁全集》第二十五卷，第一七三页）

可是“保持”和“扩大”专政，这是什么意思呢？这就是说，向千百万的无产者群众灌输纪律性和组织性；这就是说，在无产阶级群众中造成骨干和支柱以反对小资产阶级自发势力底和小资产阶级习惯底腐蚀影响，这就是说加强无产阶级在重新教育和改造这些小资产阶层方面的组织者的工作，这就是说帮助无产阶级群众把他们自己训练成为这样一种力量，以至于能够消灭阶级和准备条件去组织社会主义的生产。然而要做到这一切，如果没有一个因为自己的团结性和纪律性而强有力的党，是不可能的。

列宁说：

> 无产阶级专政，是为要反对旧社会底势力

及其传统起见而进行的坚持的斗争，流血的和不流血的，暴力的与和平的，军事的和经济的，教育的和行政的斗争。几百万几千万人底习惯势力，是最可怕的力量。如果没有一个铁一般的和在斗争中锻炼出来的党，如果没有一个为本阶级里全体忠实分子所信任的党，如果没有一个会注意群众情绪和会影响群众情绪的党，那么，要顺利地进行这种斗争是不可能的。（请看《列宁全集》第二十五卷第一九一页）

无产阶级之所以需要党，为的是要去争得和保持专政。党是无产阶级专政的工具，可是，既然这样，那么，一到阶级消灭的时候，无产阶级专政衰亡的时候，党也一定会要跟着衰亡的。（摘自斯大林《关于列宁主义问题的基础》）

第三章　党的组织

一　党员

1. 入党资格：凡承认共产国际和本党党纲及党章，加入该党的组织之一，在其中积极工作，服从共产国际和本党一切决议案且经常缴纳党费者，均得为本党党员。

2. 入党手续：新党员入党时，由支部通过，并须经过本县委或等于县委组织的区委之批准，入党的条件分下列数种：

甲、工厂工人须经党员一人介绍，由生产支部通过。

乙、农民手工业者知识分子及各机关下级服务人员须有党员二人之介绍。

丙、各机关高级服务人员，须有党员三人之介绍。

附注：（1）介绍人应对被介绍者负责，如遇有介绍者不确实时，则应受党纪之制裁，以至于开除党籍。

（2）在新党员未批准为正式党员时，各相当党部得委该新党员以某种工作，借以考察其程度及其对于党的了解。

（3）少共团员入党时，由少共委员会介绍亦须经上项各相当之手续，由支部党员大会通过或上级党部之批准。

（4）在某种特殊情形之下，党的各级委员会均有直接征收或通过新党员之权。

丁、脱离其他政党而加入本党的，须经有党籍一年以上之党员三人介绍，若从前为其他政党之普通党员者，则经省委之批准，若从前为其他政党之负责人员者，则须经中央之批准。（见《中国共产党党章》第二章）

3. 候补党员：为适合扩大和发展党的需要，新党员候补期暂时重新规定，工人、雇农不要候补期，贫农和手工人一个月，革命知识分子、小职员、中农、下级军官三个月，其他成分六个月，但在特殊情形下得伸缩之。（见《中共中央关于大量发展党员的决议》，一九三八年

三月十五日）

对于每一新加入党的人，都应好好地审查：可否把他造就成一个好共产党员，他能否为党的利益而工作。对于入党的人，还要加以训练，使他成为好共产党员。

候补党员参加党的会议，但他在党会议上没有表决权；他可以发表他的意见，参加问题的讨论，但当通过决议或选举党委员会的时候，候补党员是没有表决权的。候补党员，与党员一样缴纳党费。

候补党员在未转入正式党员以前，他应该好好地认识党纲和党章。当他是一个候补党员的时候，党的组织就审查他的能力，他对于党的忠实程度，决定他对于党的用处。（见《政治常识》一九三八年解放社出版）

4. 组织之改变：其他部分的政治组织，或整个的政治团体以及整个党的组织加入或转入共产党时，必须经中央的决议。

5. 党员迁移：党员由这一个组织迁至别一个组织的工作范围内（区域内）时应转入其所在地的组织中，去作为这一组织之一员，党员由这一组织转入别一组织及一国移至他国的一切手续，须按照中央颁布的规例。

6. 开除问题：开除党员须由该支部党员大会通过，经党的上级委员会批准，方发生效力。同时在开除决议未经上级机关批准以前，应即停止被开除者党内一切工作。不服从开除决议者，可上诉至最高党的机关。党各级委员会在党员有反党行为时，有直接开除其党籍权；不过此开除的决议应通知被开除者所加入的下级党部的组织。（以上见《中国共产党党章》第二章）

二　党的组织原则

民主集中制

中国共产党与共产国际的其他支部一样，其组织原则为民主集中制，民主集中制的根本原则如下：

甲、下级党部与高级党部由党员大会、代表会议及全国大会选举之。

乙、各级党部对选举自己的党员，应作定期的报告。

丙、下级党部一定要承认上级党部的决议，严守党纪，迅速而且切当的执行共产国际执行委员会和党的指导机关之决议，管辖某一区域的组织，对该区域各部分的组织为上级机关。党员对党内某一个问题，只有在相当机关对此问题的决议未通过以前可以举行争论，共产国际代表大会或本党代表大会，或党内指导机关所提出的某种决议，应无条件的执行，即或某一部分的党员或几个地方组织有不同意于该项决议时亦应无条件的执行。

在秘密环境之下，于必要时党的下级机关得由上级机关指定，且经上级机关之批准，得指定新委员加入党部委员会。(《中国共产党党章》第三章)

共产党组织的民主集中制，应成为集中制与无产阶级的民主制之真正的总合、融合。只有在整个党的组织经常的一致活动、经常的一致斗争的基础上才能达到这种融合。

共产党里的集中化，并不是形式的机械的集中化，而是共产主义活动的集中化，就是说，强固的有战斗力的而同时又是灵活的领导的建立。

所谓形式的或机械的集中化，就是把“权力”集中在党的官僚手中以统治其余的党员或党外的革命的无产阶级群众。但是只有共产主义的敌人才能够断言，共产党用领导无产阶级的阶级斗争和集中这种共产主义领导的手段，来企图统治革命的无产阶级。这是说谎，这与共产国际所通过的民主集中制的原则完全不相容。

在旧时的非革命的工人运动的组织中，如在资产阶级国家的组织中一样，发展了十分利害的双重主义：即“官吏”与“人民”之间的双重主义。在资产阶级队伍的僵化的影响之下，其中发展了职务的特殊化，以一种仅形式上的民主，来代替劳动者的活的联系，并使组织分裂为积极的官吏和消极的群众。而革命的工人运动在某种程度内，在资产阶级队伍的影响之下，也贯彻着形式主义和双重主义的倾向。

共产党必须以系统的、顽强的政治工作和组织工作以及多次的改善与改造的方法，来彻底克服这些矛盾。

在群众的社会民主党改造为共产党的时候，不应当只限于把所有的职权交给该党的中央手里，而整个旧的秩序仍旧不变。为使集中制不成为纸上的空谈，而在事实上实现起来，那么必须这样去实行集中制，使该党的党员感觉到集中制是他们的共同活动和战斗能力之真正的巩固和发展。在相反的情形之下，集中制在群众看来，将是党的官僚化，而且会发生反对一切集中化、反对一切的领导、反对一切严格的纪律的态度。无政府主义就是官僚主义的相反的极端。

只有一个形式的民主，既不能消除组织中的官僚主义倾向，也不能消除其无政府主义的倾向；这些倾向是在这种形式的民主基础上在工人运动中生长起来的。

因此，组织的集中化，即对强有力的领导的趋向，在形式的民主基础上是不能达到的。要做到这一点，首先必须一方面在党的本身之内，在党的领导机关和其余的党员之间，他方面在党和党外的无产阶级群众之间，都发展着和保持着活的联系与相互关系。（见共产国际三次大会关于共产党的组织建设的决议）

三　党的组织系统

（1）本党的组织系统如下：

甲、在每个工厂、作坊、商店、街道、小市镇、军队等里：支部党员大会——支部干事会。

乙、区域或乡区内：区党员大会或区代表会议——

区委员会。

丙、县或市的范围内：县或市代表会议——县或市委员会。

丁、特别区（包括几县或省之一部分）：特别区代表会议——特别区委员会。特别区的组织，如有必要时得由省委决议成立之。

戊、省：省代表大会——省委员会。

己、全国：全国大会——中央委员会。

庚、为易于指导各党部起见，中央委员会得按情形之需要，在数省范围内成立中央执行局，或中央特派员。中央执行局和中央特派员由中央委员会指定之，并只对中央委员会负责。

（2）党部机关：

为处决党的各种特殊任务起见，各级党部委员会之下得成立各部或各委员会，如组织部、宣传部、职工运动委员会、妇女运动委员会等等。各部或各委员会隶属于党部委员会，受其指导而工作，并经过党委员会而实行自己的决议。党部委员会下各部之组织由中央决定之。

（附注）为在其他民族的工农分子中用其民族言语

以便于工作起见，在当地的党委员会之下设立少数民族工作部。此少数民族工作部，应当在当地党部指导和监督下工作。（见《中共党章》第三章）

（3）支部：

甲、基本组织：党的基本组织是党的支部（工厂、矿山、作坊、商店、街道、农村、军队等），所有在该地工作之党员应一律加入支部。如有党员三人以上的地方，得成立新的党支部组织，但须由县委或等于县委组织的区委批准之。

乙、支部特别组织：在有党员一人或二人工作的企业中，这些党员得并入与该企业最接近的生产支部，与邻近企业的党员共同组织支部，在任何企业中工作的党员，如手工业者、个别工人、家庭工作的工人、知识分子等等，按住处的地方为标准组织街道支部，如在农村支部中，有农村经济企业，如小的矿山，或某种农业工人得按生产关系组织支部。

丙、支部任务：支部为便于工农联系起来的组织。支部的任务：

一、用有计划的共产主义的宣传和鼓动，在无党的工农群众中，实行党的口号与决议，使工农站到党方面来。

二、以党组织的力量积极参加工农的一切政治和经济斗争。以革命的阶级斗争观点讨论他们的要求，组织群众的革命行动。为取得工农一切革命行动的领导而斗争，努力工作以吸收工农参加中国的与国际的无产阶级一般的革命斗争。

三、征收和教育新党员，散布党的出版物。在党员及无党工农中进行文化和政治教育的工作。

丁、支部干事会：以党员人数多寡为标准，支部选举三人或五人组织干事会，以进行日常党务，该干事会进行支部的工作，分配支部中党员的工作，如宣传、分发印刷品，在工会中及农民组织中进行党团工作、妇女工作，与少共支部发生联系等。支部干事会选举支部书记一人，执行党员大会或支部会议的决议，及上级党部的指示。（见《中共党章》第四章）

戊、在生产支部的基础上改造党（共产国际五次大会的决议）：

一、共产党与社会民主党的作用与活动之根本区别，可在这两党所取的组织形式的区别上表现出来。社会民主党全部的打算是在资产阶级民主的范围内的改良主义的活动，特别注意到国会选举运动的胜利，因此它是建立在选举区上面并按居住的地方组织起来，把地方的区域的分别，作为党的组织的基础；至于共产党，是领导无产阶级最广大的群众的革命斗争，去推翻资本主义和夺取政权的，它应有不同的组织系统，因为它在企业中找到自己的主要的支柱。共产党的组织基础，应当在企业中，在生产里的工人群众本身中。党只有在生产支部的基础上建设起来，才能使党与群众建立经常的密切的联系，使党有可能不断地关心到无产阶级群众的要求与情绪，和唤起这些要求与情绪。这样一来，党便能巩固自己的影响和真正领导与组织反企业家、反法西斯主义、反资本主义国家的革命斗争——组织夺取政权的斗争。这样的组织形式，最能保证党有适当的社会成分，和保证党的无产阶级性质。这种组织形式使争取实行监督生产的胜利斗争得以实现，这对于共产党有特殊的意义，而在取得政权以后使能把握该企业的生产过程。“每个企业应成为共产党的堡垒”——列宁的口号是这样。

二、共产国际三次大会和四次大会完全肯定地规定了必须在生产支部的基础上来改造党，而四次大会又指出了，无论哪一个“共产党都不能认为是认真地和巩固地有组织的共产党，当它在企业中、工厂里、矿山内、铁路上等等还未巩固的共产党支部的时候”，四次大会以来，全部的斗争经验，完全证实了这种论点，而且证明了：实行四次大会这个决议，对于共产党是生存上所必需的。“德国事变”的教训特别证明着在工厂支部的基础上改造党，是为夺取政权的胜利斗争所不可缺少的条件。

现在必须用切实努力的和有计划的工作来达到一九二四年正月共产国际执委关于这问题所通过的决定的现实，以执行三次大会和四次大会的决议。五次大会现在又肯定这些决定，这样就承认在生产支部的基础上改造党是共产党在最近时期的最重要的任务之一。

三、同时，大会认为必须特别注意从正月以来我们的党在实际工作中所提出的几个问题和要求正确的处理。

应当清楚的了解到三次大会和四次大会的决议，如正月的决议一样，并不是指党的结构的表面上的改变，而是要求按照布尔什维克党的模范来真正的和切实的改造。这种改造应当有计划地和仔细地来进行，使得党不失掉自己的力量，而且这种改造应当努力进行，而过去的党的结构（按区域原则的组织、征收党费、成立委员会的方法等等）应当根本改变以适应党过渡到生产支部的基础上去。

根据以往的实际工作过程来说，必须指出，这种思想还没有被充分把握到。在许多的场合中，没有把党的支部看作是整个党的组织的基础，即今后全党所由建设的基础，而是把它看作是组织的旁枝侧叶。因为这个缘故，人们不去建立企业中真正的党的生产支部，而只是成立了为执行有限的任务的党团；这种情形是应当坚决改变的。有时候也发现出另一种倾向：把工会工作几乎完全放在党的支部身上。

为纠正这种现象，必须明白地和坚决地说明，党的支部的作用，是党的组织的基础的作用，应在党的实际生活中来实现这一原则。党的支部应享受党的组织的一切权利。它对于一切党的问题应当讨论和通过决定，这种情形又应当在党的支部的组织生活中反映出来。支部应当吸收党员、征收党费、有权把党费扣出一部分作为自己的工作费用、进行党员登记等等。支部不仅要分配党员工作，而且应责成每个党员执行分配给他的工作。不消说，党的支部的活动，应当普遍到党的活动的一切形式中去。

四、依据在生产支部基础上改造党的决定的意思，这种改造的最切要的一方面，就是现在党员群众的社会成分应当改变和改善，即是大量增加产业工人的党员，并使企业、工厂和农场的支部直接包括党员的大多数。当这个目的能够达到时，那么将有许多强有力的党的支部，则按居住地方而成立的组织将成为多余的了。那时候不在企业中工作的党员，应参加到生产支部中去。当党的组织未达到这种程度的时候（各国和各地区的情形不同，将经过不同的时期），可采取一种过渡的办法，即建立街道支部、居住地支部，这有相当意义，这可为团结那些不在企业中工作的党员和吸引他们参加党的工作的种种可能之一。但是，因为关于这些支部的意义，已经表现了有不正确的意见，那么第五次大会认为必须指出，甚至这种街道支部建立的地方，它们也不应当损害生产支部的工作，而且无论如何也不能认为与生产支部有同等作用和同等意义的。特别是不能把街道支部看作和生产支部一样，作为党的组织的基础。只有生产支部才是党的组织的基础；街道支部是补助的组织。重心是摆在企业中和生产支部中。

五、在实际的改造中，党的基本的和主要的注意力首先应当集中于工业区域，在这里，首先要集中于最大的中心和最强的组织中。在地方上也是这样，党的委员会应当开始改造最重要的据点。当然这绝不是说，其他的党的组织应当暂时等待，而不从事于实行改造。从初级的党直到上级的党的组织，都应当进行彻底改造。

六、至于共产主义青年团的生产支部问题，那末大会认为党应当努力使本企业中的青年团支部团员，能更多的加入到党的支部里来，使党和团的支部之间在工作中有密切的联系并实行互派代表。同时，在企业中除了党的支部以外，必须有共产主义青年团的特别的生产支部。青年团的生产支部应当成为整个共产主义青年团

（与党的组织并存的特别组织）的基本组织。

七、第五次世界大会委托共产国际执行委员会最坚决的来实行这个决议，并制定共产国际所属各党的地方组织与中央机关的指示。

四　论共产党员的工作义务

共产国际关于党的组织建设、工作方法和工作内容的决议

共产党应当成为革命马克思主义的工作学校。经过党的组织中日常的共同的工作，使党的各种机关和各个党员建立有机的联系。

在合法的共产党中，大多数党员现在还没有充分参加日常的党的工作。这就是这些共产党的主要缺点及其发展的不坚固性的来源。

工人政党第一步所遇到的危险，就是以接受《共产主义纲领》为满足，在其宣传中以共产主义的教条来代替过去的教条，以共产主义的官僚来代替反共产主义的官僚为满足。但是接受《共产主义纲领》的党，只是表示要成为共产党的意志而已。如果党没有共产主义的活动，如果大多数党员仍旧是消极，那末这种党还没有执行由接受《共产主义纲领》而对它提出的那些最低限度的要求。因为实行纲领的第一个要求，就是吸引全体党员去参加日常的继续不断的工作。

共产党组织的艺术就在于利用一切和一切的人，去做无产阶级的阶级斗争，在党员中适当的分配党的工作，经过党员经常吸收无产阶级广大群众去参加革命运动并保存对一切运动的坚固的领导，要做到这一点，不是用强迫的方法，而是用威信的力量，用优越的努力，经验、周到、能干的力量。

共产党为的要有真正积极的党员，就应当要求每个党员在其现存条件下所具有的一切力量和全部时间都贡献于党的工作。要加入共产党，当然要相信共产主义，并实行正式登记，首先做候补党员（在某些情形之下），然后做正式党员；同时，必须按时交纳党费，订阅党报等等。但是，最重要的就是每个党员参加日常的党的工作。

为参加日常工作起见，每个党员应当经常参加到较小的工作团里去：参加委员会、部、会、党团或支部，只有这样可以正确的分配党的工作，执行这种工作和领导这种工作。

不消说，地方组织的党员大会，是必须参加的；在公开的条件之下，以地方的代表会议，来代替这些定期的党员大会是不好的。反之，一切党员应当经常参加这些大会。但是仅仅参加会议，是绝对不够的。这些会议的切实准备，犹之乎公开的工人集会、示威，和工人的群众行动之准备与适宜运用，就必须有更小的集体和个别代表同志们的工作。只有用更小的集体，才能使这种活动的各方面的任务，加以详细的研究和努力的解决，没有把全体党员分成许多小的工作团体，来进行这种固定的日常工作，那么在参加工人阶级的阶级斗争中，纵使用最热烈的努力，企图去影响斗争，也是徒然的无力的，而不能把无产阶级一切活的革命力量，成为战斗的统一的共产党。

必须形成共产主义的核心，以便在党的活动的一切部门中进行日常工作。——住宅中的鼓动、党校、办理报纸、分发书籍、通讯联系工作等等。

在工厂企业中、工会中、劳动组合中、军队中等等，凡有几个共产党员或候补党员的地方，党的支部就是执行共产主义日常工作的基本核心。在同一企业中或工会中等等，如有大量的党员时，支部须扩大成为党团，党团的工作是受共产主义核心的领导。如遇有组织广泛的反对派的党团或参加已有的党团的工作的必要时，那么共产党员须经过自己的支部希望得到该党团的领导作用。

党支部的活动应否公开或者应否甚至打起共产主义的旗帜，那要看一切危险与优势之仔细研究以后根据每一情形来决定。

党内实行普遍的工作义务和组织各种小的工作团，是群众的共产党特别困难的任务。这种工作不能一下子就做到，它要求不倦的坚定性、周密的关系与莫大的毅力。

特别重要的是：这种组织应在这种问题多方讨论之后马上在新的基础上特别仔细地去进行。如果把组织中一切党员依某种形式上的计划分成为小的支部和工作团并强制他们去参加一般的党的日常工作，那当然是十分容易的。但是这样的做法，最好不要着手，因为这立即会引起党员的不满和不服这种新的设施。

党的领导机关特别要与国内各主要中心地方的许多好的组织家、有深刻信心的和热情的共产党员、对于运动的一般形势有明确方针的人们，一块儿预先讨论，而事先制定这种新设施的详细的基本原则来。然后，指导员、组织者或组织部应当在当地适当地准备最近的工作，选出第一批的领导工作者并实行第一步的活动。接着就应当向各组织、各工作团、支部与个别党员提出一定的具体计划来，而这些计划是他们自己认为绝对愿意的、适当的和可以执行的。遇必要时，可以举出实际的例子，来说明如何执行这些计划。这里应特别注意到那些必须特别避免的错误。

这种改造应逐步去实行。因此各地组织开始用不着组织太多的新支部或工作单位。在短期内的实际工作应当开始做到，使大企业和工会中的个别支部完全正确的执行职务，使其他部门党的工作已把必要的工作团弄好，而且已经多少坚固起来了（例如通讯、联系、住宅中的鼓动、妇女运动、发行报纸、失业工人运动等等）。

当新的组织机关还没有把自己的工作做好到一定程度时，不应当盲目地破坏原有的组织形式。

但是，共产党组织工作的这个基本任务，应当在一切地方用一切力量去执行，这不仅对公开的党，而且对于一切不公开的党也有极大的要求。当无产阶级群众斗争的一切中心还没有建立好共产主义小组、支部、党的和工作团的广泛的网以前，当我们党的每个党员还没有参加日常的革命工作以前，当他们参加这种工作的而未成为他们自然明白的习惯以前，党不应减弱自己的一切努力，来执行这种任务。

这种基本组织工作责成党的领导机关去进行不断的、不倦的和直接的领导，而且实行有系统的管理党的工作。这要求负党机关领导工作团同志要有许多的努力。共产党的领导机关不仅要注意使一切同志都有工作，而且应当根据已有的经验、工作方法，去帮助他们和管理他们的工作，系统地和实际地了解他们所做的事情，在工作的特殊条件中给予确切的方向，并设法找出自己活动中的错误和加以改善，同时绝对不要忘记斗争的目的。

我们整个党的工作，就是实际斗争或理论斗争或准备这种斗争。在这种斗争方面的专门化至今还不能满意。在许多极重要的工作部门，至今党所做了的事情，这是完全偶然的。例如公开的党反对政治警察的特殊斗争方面，就是这样。对于党员同志的指示，往往是很偶然的，而且是很表面的，而大部分党的最重要的原则上的决定——甚至党纲和共产国际的决议，有许多党员还是完全不知道。关于指示的工作，应由一切党的组织，一切党的工作团有系统的来进行，而且应当不断的进行，以便达到高度的专门化。

共产党组织的义务之一，是提供报告。这种义务是一切组织、一切党的机关和每个党员所应当遵守的。一般的报告应在短期内经常提出，同时应当提出关于执行特殊的党的任务的报告来。提供报告的义务，必须有系统地执行，使其成为共产主义运动的坚固的传统，这是十分重要的。

党在每三个月之内要向共产国际领导机关做一次关于自己活动的经常报告。每个党的部分组织应向最近的领导委员会做报告（例如地方组织的每月报告，应送交相当的县或市的委员会）。

每个支部、党团和工作团应对党的机关，即事实上领导它的党的机关做报告。每个党员应对其所属支部或工作团（或主任）做报告（大约每周一次），应对委托他去工作的党的机关报告其特别委托的执行情形。

报告应在第一个适当的时机提出。如果党或委托其工作的机关不要求书面报告时，那么可以用口头报告。报告应当简短和有切实的内容。接受报告的人应当负责把那些不当公布的消息不至泄露，并负责把重要的报告，立即转交相当的党的领导机关。

当然，所有这些党的报告，不应限于叙述报告人所做的事情，而应当包括在工作时间所考察的消息，对于我们斗争有意义的消息，特别是能机动我们将来活动的改变或改善的那些消息。同时应当提出那些在工作时候所感觉到必须改正的提议。在一切党的支部中、党团中和工作团中，所有向他们提出的报告，以及他们所要提出的报告，都应当加以讨论。对于报告的讨论，应成为一种习惯。

支部和工作团应当留意使每个党员或工作人员经常

进行关于敌视组织，特别是小资产阶级的工人组织，首先是“社会”党组织的活动的专门考察并提出关于这种活动的报告来。

第四章　党的生活

一　党的纪律

大概现在差不多任何人都已经看见，如果我们布尔什维克党内没有真正极严格的铁的纪律，如果他没有得到全体工人阶级群众最完备的和最不顾牺牲的拥护，即是说，如果他没有得到工人阶级中一切有思想能力的、纯洁的、肯牺牲的、有影响的，能够领导或吸引落后部队的人们的拥护，那末，布尔什维克党莫说两年半，便是两月半，也不能维持政权。

无产阶级专政，乃是新阶级向比较强有力的敌人，向资产阶级所进行的最不顾一切的和最无情的战争；资产阶级底反抗，因为他被人推翻（即使在一个国家内也罢）的缘故而更加强十倍，他的势力不仅在于国际资本底力量，不仅在于资产阶级国际联系底强固，而且还在于习惯底势力与小生产底势力。因为小生产留存在世的，可惜还很多很多，而小生产每日、每时、不断地、自然地、大量地产生资本主义与资产阶级。因此之故，无产阶级专政是必要的；如果不作长期的，百折不回的，不顾生死的战争，如果没有坚忍心，没有纪律，没有坚强的精神，没有不屈不挠的精神和统一的意志去进行这种战争，那么，要战胜资产阶级是不可能的。

我再重说一遍，俄国得胜的无产阶级专政底经验，明白告诉一切不会思索或对此问题不曾思索过的人们说：无条件的集权与无产阶级底最严格的纪律，乃是无产阶级的基本条件之一。

这个问题人们时常讲到。但这到底是什么意思，在什么条件之下这才有可能，人们却很少加以思索。除了向苏维埃政权及布尔什维克致欢迎辞外，难道不应当时常去极其郑重地分析布尔什维克党之所以能够养成革命无产阶级所必需的纪律之原因吗？

布尔什维主义之成为政治思想派别与政党，是从一九〇三年开始的。只有布尔什维主义整个存在时期的历史，才能圆满说明布尔什维主义何以能够在最困难的条件之下，养成而且保持无产阶级胜利所必需的铁的纪律。

这里首先发生一个问题，就是无产阶级革命党的纪律是靠什么东西来维持的？是靠什么东西来检验的？是靠什么东西来巩固的？第一，是靠无产阶级先锋队的觉悟及其对于革命的忠心，靠它的坚忍性，牺牲精神和英勇气概。第二，是靠它善于同广大劳动群众——首先同无产阶级的群众，同时也同非无产阶级的劳动群众——联系、接近，而且在某种程度上，也可说和他们融成一片。第三，是靠这个先锋队所实现的政治领导底正确，它的政治的策略与战略底正确，而且要使最广大的群众根据自身的经验确信这种正确。如果没有这些条件，那么，真正能够充当先进阶级（以推翻资产阶级，改造整个社会为己任的先进阶级）政党的革命党内部之纪律是不能实现的。如果没有这些条件，那么整饬纪律的企图，将不免流为空谈和虚妄。可是，另一方面，这些条件并不是一下子就能产生的。只有经过长期工作，艰苦经验，才能造成；正确的革命理论，可以促进这种条件的形成，而这种理论本身也不是信条，这种理论只有与真正群众的和真正革命的运动底实际密切联系起来，才能完全形成。

布尔什维主义之所以能够养成最严格的、集中的与铁的纪律，并且能够在一九一七到一九二〇年间异常困难的条件之下顺利实现这种纪律，其原因只是在于俄国历史上的许多特征。

一方面，布尔什维主义于一九〇三年是在最坚固的马克思主义理论基础上产生的。而这个——只有这个——革命理论底正确，不但是由整个十九世纪全世界的经验所证明，而且特别是由于俄国革命思想界的迷惑、游移、错误和失望底经验所证明。大约在十九世纪四十年代到九十年代这五十年内，俄国进步的思想界，曾处在空前野蛮与反动的俄皇专制压迫之下，寻求正确的革命理论，如渴思饮，他们用了惊人的奋勉精神与缜密态度来探索欧美关于这方面的每一种“新发明”。俄国在半世纪里，受到了空前的痛苦与牺牲，表现了空前的革命勇气，它表现难以设想的努力，它专心致志从事探究，它在半世纪里经过训练、实验、失望、审查，参照欧洲经验等等磨折，它真正受尽了千辛万苦之后，才获得马克思主义这个唯一正确的革命理论。革命者不堪俄皇政府的迫害而不得不侨居国外。所以革命的俄国，在十九世纪后半期，其国际联络之频繁，及其对于各国革命运动的形式与理论之熟悉，为世界任何国家所不及。

另一方面，在这个坚固的理论基础上所产生出来的布尔什维主义，有了十五年（一九〇三到一九一七年）的实际历史，这种历史经验的丰富，世界上无与伦比。因为在这十五年内，任何国家都没有这样多的革命经验，革命运动各种形式——合法的与非法的、和平的与激烈的、秘密的与公开的、小组的与群众的、国会主义的与恐怖主义的种种形式——彼此交替，都没有这样迅速和复杂。任何一国都没有在这样短促的时期内，积聚这样多的现社会一切阶级斗争的形式、方法以及斗争所带的色彩；而且因为俄国的落后与俄皇政府的残暴压迫，这种斗争特别快地成熟起来了，特别迫切和顺利地领会和采用了相当的欧美政治经验的“新发明”。

二　自我批评

无产阶级政党之自我批评，在揭露和改正本身错误中去教育和训练自己。

> 不待说，自我批评是一个生气勃勃的党所绝对必要的。自满自足的乐观主义乃是最庸俗卑鄙的思想（见《列宁全集》第七卷，第三〇七页）。
>
> ……只要一觉悟到自己的缺点，这在革命事业中就等于改正一大半（见《列宁全集》第四卷，第三八六页）。

（1）自我批评是布尔什维克培养党干部和教育工人阶级之方法。

自我批评的口号并不是一种临时的昙花一现的口号。自我批评是一种特别的，布尔什维克的，用以提高党员干部及一般工人阶级之革命意识的方法。马克思就已经说过自我批评乃是巩固无产阶级革命的方法。至于说到我们党内的自我批评，那么当布尔什维主义在我国产生时，在布尔什维主义一开始成为工人运动中特别的革命派别时，就开始有自我批评。大家都知道，列宁在一九〇四年春，当布尔什维主义还未成为独立政党，还同孟塞维克组织在一个社会民主党内的时候，就已经号召党"进行自我批评并无情揭露自己的短处"。列宁当时在《进一步退两步》一书中就这样说：

……他们[1]看见我们内部的争论，就幸灾乐祸，洋洋得意；他们为谋自己的方便，自然极力想断章取义，摘引我这本专门谈论我党本身缺点的小册子中的个别章句。但是俄国社会民主党人已久历战斗，饱受风霜，决不会被这区区针刺所惊动，却能够不管这针刺而继续自我批评的工作，无情揭露本身的缺点，这些缺点，一定和必然会因工人运动底发展而被克服的。让这些敌人老爷们也试把他们"党"内的实况，表露出来罢，哪怕就是稍许像我党第二

[1] 即马克思主义者底敌人。——斯大林注

次大会记录那样明显表露我党实况也好！（见《列宁全集》第六卷，第一六一页）

因此，有些同志以为自我批评是一个临时的现象，是一种时髦的东西，如一切时髦货物一样，很快就会过时，这是完全不对的。其实自我批评是布尔什维主义武库中所绝对不可少的，经常使用的武器，是同布尔什维主义底本性，同布尔什维主义底革命精神不可分离的一种武器。

人们有时说，自我批评，对于尚未执政而“无物可失”的党是很好的东西，但是对于已经执政而受敌人包围的党是有害的，因为敌人可以利用对于该党本身弱点的揭露来攻击这个党。这是不对的。这是完全不对的。恰恰相反，正因为布尔什维克党已取得政权，正因为布尔什维克也许会因我国建设胜利而自夸自大，正因为布尔什维克也许会看不见自己的弱点而助长敌人——正因为如此，所以自我批评在目前，在得到政权以后就特别必要。自我批评之目的是揭露和消除我们的错误，我们的弱点。——自我批评在无产阶级专政时只会使布尔什维主义易于同工人阶级底敌人作争斗，这难道还不明白吗？列宁在一九二〇年五月在自己的《共产主义运动中的“左派”幼稚病》那本书上，关于布尔什维克取得政权以后的状况底这种特点，写道：

……一个政党对于本身错误所抱的态度就是最重要和可靠的标准之一，以审查这个政党是否郑重其事和是否在事实上执行自己对于本阶级和劳动群众的义务。公开承认错误，揭露这错误之原因，分析产生这错误之环境，仔细的讨论改正这错误之方法——这便是郑重其事的政党之标志，这便是政党之履行自己的义务，这便是教育和训练阶级，以至于群众。（见《列宁全集》第二十五卷，第二〇〇页）

一九二二年三月，列宁在我党第十一次代表大会上所说的话是千真万确的，他说：

……无产阶级不怕承认他自己在革命中某些事情做得绝妙，而某些事情却没有做得成功。向来所有一切革命政党都已陷于灭亡，其所以陷于灭亡，是因为自夸自大，看不见自己力量何在，而且怕说自己的弱点。而我们却不会灭亡，其所以不会灭亡，是因为我们并不怕说自己的弱点，而且学习怎样消灭这些弱点。（见《列宁全集》第二十七卷，第二六〇到二六一页）

结论只有一个，如果不实行自我批评，就不能正确地教育党，教育阶级，教育群众；而如果不是正确的教育党，教育阶级，教育群众，就不会有布尔什维主义。

为什么正在现时，正在当前这个历史关头，正在一九二八年，这个自我批评口号有了特别迫切的意义呢？因为在现时国内外阶级关系紧张，已比一两年前暴露得更显明了。因为在现时，那些利用我们弱点和错误来反对我国工人阶级的阶级敌人阴谋破坏苏维埃政权的工作，已比一两年前暴露得更其显著了。因为“沙哈亭煤井案件”的教训，乡村资本主义分子捣乱粮食采办工作的教训，以及我们在规定计划方面的错误，所有这些，都不能不，而且不应不引起我们的严重注意。若是我们想巩固革命，想及时打退敌人，那我们就应该从速消除因“沙哈亭煤井案件”和粮食采办工作困难而暴露出来的错误和弱点。若是我们不愿一遇到各种“意外”和“偶然”事件就慌忙无措而中工人阶级敌人的诡计，我们就应该从速把还未暴露出来而其实必然存在的弱点和错误揭露出来。如把这事情延搁起来，那就是帮助我们的敌人，加深我们的弱点和错误。但如果不扩展自我批评，不加强自我批评，不吸引千百万工农群众来揭露和消除我们的弱点和错误，那就不能做到这一切。

因此，中央和中监四月联席会议上，关于“沙哈亭煤井案件”的决议是完完全全正确的。该决议上说：

“为要保障所规定的办法都能有成效的实行，其最主要的条件，就是要真正实行第十五次代表大会底自我批评口号”。但是，为要扩展自我批评，首先就须要把党面前的许多障碍消除。所谓障碍就是：群众文化程度之落后，无产阶级先锋队文化人才之缺乏，我们的办事迟缓，“共产党人夸大狂”以及其他等等。但是，我们机关中的官僚主义，却要算是最严重的障碍之一，甚至可说是最严重的障碍。我们党的、国家的、职工会的、合作社以及其他的各种各样的组织中，都有官僚主义分子。这些官僚主义分子专门利用我们的弱点及错误来生存，害怕群众批评，害怕群众监督如烈火，妨碍我们扩展自我批评，妨碍我们消除自己的弱点和错误。我们机关中的官僚主义，并不仅仅是办事迟缓和官样文章而已。官僚主义乃是资产阶级影响我们机关的表现。列宁说得对：

> ……我们应该明白，反官僚主义的斗争是绝对必要的，这个斗争也如反对小资产阶级自发性的斗争任务一样，是很复杂的。我们国家制度中的官僚主义是已经成了大的弊病，以致我们的党纲也提到它，这是因为官僚主义是与这种小资产阶级自发性及其散漫性有关系的。
>
> （见《列宁全集》第二十六卷，第二三〇页）

因此，若是我们真想扩展自我批评，消除我们建设事业方面的毛病，那就须要用更大的决心反对我们各组织中的官僚主义。

因此，我们必须用更大的决心来发动千百万工农业群众自己起来批评，自己起来监督，作为铲除官僚主义的主要武器。

列宁说得千真万确，他说：

> ……如果我们想进行反对官僚主义的斗争，那我们就须吸引下层群众来参加这种斗争……因为要不是吸引工农，那还有什么办法可以消除官僚主义呢？（见《列宁全集》第二十五卷，第四九五至四九六页）

但是为要“吸引”千百万群众，就应该在工人阶级一切群众组织之中，首先是在我党内部，扩展无产阶级的民主。如果没有这个条件，则自我批评就等于零，就会徒托空言。

我们所需要的，并不是随便一种自我批评。我们所需要的自我批评，必须要能提高工人阶级的文化，能发展工人阶级的战斗精神，能巩固工人阶级对于胜利的信念，能扩大他自己的力量，能帮助他成为真正的国家主人翁。

有些人说，若是有自我批评，那是用不着劳动纪律了，那就可以把工作放着不做而去谈天说地了。这并不是自我批评，而是诬蔑工人阶级。自我批评之所以需要，并不是为的破坏劳动纪律，而是为的巩固劳动纪律，而是要使劳动纪律成为自觉的，能够阻挡小资产阶级放荡性的纪律。

另有些人说，若是有自我批评，那是再用不着领导了，那就可以离开船舵而一切“听其自然”。这并不是自我批评，而是丑事。自我批评之所以需要，并不是为的减弱领导，而是为的加强领导，而是要把缺乏威信的纸上领导变为真正有威信的切实领导。

但是还有另一种的“自我批评”，这种自我批评会破坏党性，会破坏苏维埃政权之威信，会削弱我们的建设工作，会瓦解我们的经济工作人员干部，会解除工人阶级底武装，会变成为高喊什么蜕化的空谈。不久以前，托洛斯基反对派正是叫我们去实行这一种“自我批评”的。

不待说，党所主张的自我批评是与这种“自我批评”毫无相同之点的。不待说，党是以一切力量和一切手段去反对这种所谓“自我批评”的。

应该把这种异己的、反布尔什维克的所谓“自我批评”和我们的、布尔什维克的自我批评严格分清。我们的、布尔什维克的自我批评是以加强党性、巩固苏维埃政权、改善我们的建设工作、巩固经济工作人员干部、加强工人阶级底武装等等为目标的。

（斯大林:《反对把自我批评口号庸俗化》，见《真理报》，一九二八年六月二十六日。）

（2）马克思和恩格斯论自我批评之意义。

资产阶级革命，例如十八世纪的革命，其胜利的进展较为迅速，其中惊心动魄的事变，一桩比一桩怵人耳目；那时候，人们和景物，无不焕发异常，喜形于色；每一天都有使人熏醉的事情发生。但这种现象是转瞬即灭的，很快就登峰造极，于是社会就得经过一个长久的昏沉时期，然后才能从迷梦中苏醒过来，细心领会它那突飞猛进的果实。反之，无产阶级革命，例如十九世纪的革命，则经常自己批评自己，有时候竟半途而废，回到那恍惚已经走过的地点，以便然后重新做起，无情嘲笑头几次尝试之半途性及其弱点或不中用；把敌人倒在地上，正好像让敌人从地上吸取新鲜力量而比过去更有力地重新起来作战；因感觉本身目标无限远大，往往望洋兴叹，一再退却，一直退到无路可退的时候为止。……

（《马克思选集》，第二卷，第二四九页，摘录《拿破仑第三政变记》，一八五二年。）

……我们在这里极其看重德国党在斗争中所遇到的困难，同时也极其看重德国党不顾这一切困难而达到的那种成绩以及党员群众向来所有的模范行为。当然，在德国所得到的每个胜利，也如其他任何国家所得到的胜利一样，都使我们同样高兴，甚至还更高兴些，因为德国党一开始就是本着我们的理论而生长起来的。但正因为如此，我们就特别注意，务使德国党底实际工作，尤其是党的领导者底公开活动，不致离开一般的理论。毫无疑义的，我们的批评对于许多人是不乐意的，然而平心而论，这种批评定能给德国党以很大的益处：德国党在国外有这样一种人，这种人，并不受本国紊乱的地方条件以及零星斗争事件所拘束，而随时用现代各国无产阶级运动所适用的理论来估量党内的事件和党的活动，把国外因这种活动而发生的感想反映出来——这对于党，自然要比任何非批评态度的恭维，有益得多。

（《马克思选集》，第二卷，第四九六页，摘录一八七九年十一月十四日《恩格斯给白伯里的信》）。

（3）列宁论自我。

批评愈是多多考虑所谓民主会议底意义，愈是细心从旁去考察（俗语有云，旁观者清）这种意义，那就愈会确信，我们党参加这个会议，是犯了错误。本应该是抵制这个会议的。也许有人说，现在事后来追究这个问题，究竟有何用处呢，已往的事，是无可挽回的。但是这种不理已往策略的观点显然是无根据的。我们向来总是斥责“得过且过”的策略，而且我们既是马克思主义者，我们就应当斥责这种策略。片刻的胜利对于我们是不够的。而且我们根本就不能以一时一日的打算为满足。我们必须研究一切政治事件之整个链条，研究这些事件的因果关系，这些事件的结果，而来经常审查自己。我们分析过去的错误，就是学习如何避免现在和将来的错误。

……为要更明白说明抵制策略底客观基础，以及这种策略与阶级互相关系的联系，就可以这样来观察一九〇五年八月，一九一七年九月和一九〇七年六月这三个时期的形势，压迫者始终都是要欺骗被压迫阶级的，但是这种欺骗底意义在各个历史时机是各不相同的。决不可只根据压迫者欺骗人民的事实来规定策略，必须全般分析阶级底相互关系以及非国会斗争和国会斗争底发展而来规定策略。

参加“预备国会”的策略是不对的，这个策略不适合于客观的阶级相互关系，不适合于客观的时局条件。

当时本应抵制民主会议；而我们却没有这样做，这是我们大家的错误，但错误不是无可救药的。只要我们诚心愿意去拥护群众革命斗争底利益，只要我们认真考虑策略底客观基础，我们就一定能改正我们的错误。……

……先进阶级的战斗党是不怕有错误的。最可怕的是固执错误，耻于承认和改正错误。

（《列宁全集》，二十一卷，第二一五页，第二一八至二一九页，《政论家底日记》，一九一七年）

如果有共产党员以为可以不犯错误，不要有退却，不要再三改正未做好和做得不对的事情，而就可以完成这种有全世界历史意义的“创举”，如筑成社会主义经济之基础（尤其是在小农国家里），那样的共产党员可说是一定已经不可救药了。共产党员并不妄作思想，也并不悲观失望，而是保持实力和灵活性以便“重新开始”去应付极困难的任务，只有这样，共产党员才不失其为共产党员（而且一定不会失其为共产党员）。

（《列宁全集》第二十七卷，第二〇一页，《政论家底时评》一九二二年。）

（4）及时揭露错误是布尔什维克领导之最重要的原则。

同志们，这并不是说，我们党里就没有缺点了。不，缺点是有的，而且是有严重的缺点，让我来简单说说这些缺点罢。

例如就拿党组织对于经济机关和其他各种组织的领导来说罢。这里是否一切都很好呢？不是的，并不是一切都很好的。不仅是在各地方，而且在中心里，我们都往往看见人们借所谓私人感情来解决问题的现象。比如某个组织里的负责工作人张三，犯了极重大的错误，把事情弄坏了，但是李四却不愿意批评他，指摘他的错误，纠正他的错误，因为李四不愿意同他“结怨”。犯了错误，弄坏了事，那有什么要紧！我们谁个不犯错误呢？我今天宽恕他，他明天就会宽恕我。因为哪里能担保我自己不也会犯错误呢？彼此客客气气、和和平平，岂不是好！宽容错误就会弄坏我们的大事么？不要紧！总可以过得去的。同志们，这就是我们有些负责工作人员底普通论调。但这是什么意思呢？我们布尔什维克是批评全世界制度的，照马克思底话说来，我们是翻天覆地的人，如果我们为着某些同志底安宁而放弃自我批评，那就只能葬送我们的伟大事业，这难道还不明白吗？（座中喊声：“对啊！”鼓掌）马克思说，无产阶级革命与其他一切革命不同处之一，就是它自己批评自己的，它是借自我批评而巩固起来的。马克思这一个指示是很重要的。如果我们，无产阶级革命底代表，闭着眼睛而不愿看见我们的缺点，如果我们按私人感情来解决问题，彼此隐瞒自己的错误，正好似把我党皮肤上的疮毒打进我党身体的内部——那么，究竟谁来纠正这些错误和这些缺点呢？如果我们不把这种在解决最重要的建设问题时所常见的庸俗气、顾私人情面的习气，从我们自己的队伍中消除掉，我们就不复成为无产阶级的革命家，而一定陷于灭亡，这难道还不明白吗？我们如果不去诚恳地直爽地进行自我批评，不去诚恳地公开地纠正自己的错误，我们就无法前进，无法改善我们的事业，无法使我们的事业获得新的胜利，这一点难道还不明白吗？要知道我们的发展并不是一帆风顺前进的，不是的，同志们，在我们这里，还有阶级存在，还有国内的各种矛盾；我们这里，有过去的东西，有现在的东西，也有将来的东西，在他们中间有矛盾存在；所以我们还不能一帆风顺地在生活浪潮中前进。我们是在斗争中、在矛盾底发展中、在克服这种矛盾、揭露和消灭这种矛盾的过程中前进的。当阶级还存在时，我们无论如何都不能说：好了，现在什么都很好了。同志们，无论如何这是不会有的。在我国实际生活中，总是有什么东西在那里死亡；但是那些旧东西，决不愿意随随便便就死亡的，而是拼命想维持自己的生存，坚持他那已经腐朽的事业。在我国实际生活中，总是有新的东西降生着，而这些正在降生的新东西，决不是随随便便降生的，而是大喊大叫地争取他那生存的权利（座中喊声："对啊"鼓掌）。新东西和旧东西间的斗争，垂死者与新生者间的斗争，这就是我国发展底基础，我们如果不以布尔什维克应有的精神，去诚恳地公开地指出我们工作中的一切缺点和错误，那就等于自绝前进的道路。但我们是想前进的。正因为我们是想前进，我们就应当把诚实的革命自我批评作为我们极重要的任务之一。没有这种自我批评我们就不能前进，就不能发展。但是恰巧在这一切方面，我们的工作还不大好。而且，人们往往因为得到某些成功，便把一切缺点都忘记掉，反而怡然自得，以为可以高枕无忧了。有两三次的大成功——就以为百事大吉了；再有两三次的大成功，就洋洋自得而目空一切了。可是错误和缺点却依然存在，于是有害的疮毒，便会深入到我们党的身体内部去。

（斯大林:《联共（布）中央对第十五次代表大会的政治报告》，见《大会速记录》，第七〇至七一页，一九二七年）

（5）根据干部本身的错误来训练干部——这是什么意思呢?

列宁曾教训我们，诚恳地揭露党的错误，研究产生这种错误之原因，指出为改正这些所必要的办法，乃是正确训练和教育党的干部，正确训练和教育工人阶级劳动群众之最可靠的方法之一。

这就是说，布尔什维克之义务，不是掩

饰自己的错误，不是躲避关于自己的错误之问题，好似我们这里所常见的一样，而是诚恳公开承认自己的错误，诚恳而公开指出改正这些错误之办法，诚恳而公开改正自己的错误。

我们不能说，我们的很多同志都是乐意这样做。可是布尔什维克，如果真是自己不愧为布尔什维克，就应当有勇气来公开承认自己的错误，揭露产生错误之原因，指出改正错误之办法，并这样来帮助党给自己的干部以正确的训练和正确的政治教育。因为只有在这条道路上，只有公开而诚恳的自我批评的环境中，才可以造就真正的布尔什维克干部，才可以造就真正的布尔什维克领袖。

且举两个例子，来证明列宁这个原理之正确。

例如，拿我们以前在集体农庄建设方面的错误来说。你们大概记得，一九三〇年，当时我们的党员同志，竟想在什么三四个月内，就把引导农民转入集体农庄建设道路的这一个极复杂的问题，完全解决；当时我们党的中央，曾不得不约束这些陷入迷途的同志。这曾是我党生活里最危险的时期之一。当时的错误就在于我们党员同志竟忘记了集体农庄建设之自愿原则；竟忘记了绝不可用行政的强制手段使农民转入集体农庄的道路；竟忘记了集体农庄建设所要求的，不是几个月的工夫，而是几年的、仔细和考虑周到的工作。他们忘记了这一点，而且曾不愿意承认自己的错误。你们大概记得，当时，中央曾指出这种因有胜利而头脑发昏的毛病，并警告地方同志，叫他们不要忽略实在环境而跑得太前——中央这种指示，曾遇到很大的反抗。可是，虽然有这种反抗，而中央却始终以中流砥柱的精神反对这种潮流，并把我们的党员同志引入正轨。结果怎样呢？现在谁也看得清楚，我们党终于如愿以偿，而把我们的党员同志引入正轨。现时，我们有好几万个从农民中间培养出来的、从事于集体农庄领导的出色干部。这些干部，乃是根据一九三〇年的错误而训练和教育出来的。可是，如果当时我们党没有觉悟到自己的错误和没有及时加以改正，那我们现在就不会有这样的干部。

另外一个例子，便是工业建设方面的例子。我所指的就是我们“沙哈亭暗害事件”时期的错误。我们当时的错误，就在于我们没有注意到我们工业干部之技术落后的全部危险，我们当时容忍了这种落后现象，曾想借助于敌视我们的专门家来展开广阔的社会主义工业建设事业，这样，就使我们的经济干部只能做一种不好的、坐在资产阶级专门家旁边的监督人。你们大概记得，当时我们的经济干部，曾如何不愿意承认自己的错误，曾如何不愿意承认自己的技术落后，曾如何难得领会“精通技术”的口号。结果怎样呢？事实证明，“精通技术”的口号，是发生了效力，并给予了良好的结果。现在，我们已经有几万和几十万个很出色的布尔什维克的经济干部，他们已精通了技术，并推动着我们的工业前进。可是，如果我们党在当时是迁就了那些不愿承认自己技术知识落后的经济工作人员之顽强态度，如果我们党在当时没有认识自己的错误，没有及时改正自己的错误，那末在现时，就不会有这样的干部。

有些同志说：公开承认自己的错误，是不适当的，因为公开承认自己的错误，就会被我们的敌人看作我们是软弱无力，会被我们的敌人所利用。同志们，这是无关紧要的，这是完全无关紧要的。恰巧相反，我们公开承认自己的错误，并诚恳改正这些错误，适足以加强我们党，提高我们党在工人、农民以及劳动知识分子中间的威信，加强我国之力量与威势，而这正是主要的。只要是工人、农民、劳动知识分子与我们一块，那么，其余一切都可迎刃而解。

另外有些同志说：若是我们公开承认自己的错误，那结果，并不能教育和巩固我们的干部，而是使其削弱，使其解体；他们说：我们应当怜惜和爱护我们的干部，我们应当怜惜他们的面子和爱护他们的安定。因此，他们主张掩饰我们的同志之错误，减弱批评力量，而最好是根本不过问这些错误。这种立场，不仅是根本不正确，而且极端危险，而尤其是对于他们所想“怜惜”和“爱护”的那些干部有危险。用掩饰干部所犯错误之方法来怜惜和保护干部，这就一定会戕害这些干部。如果我们在一九三〇年没有揭露我们当时所犯的错误，并根据这些错误来训练我们自己的布尔什维克的集体农业干部，那我们就一定会把这些干部戕害了。如果我们在“沙哈亭暗害事件”时期，没有揭露我们的同志当时所犯的错误和没有根据这些错误来训练我们自己的布尔什维克的工业干部，那就一定会把这些工业干部戕害了。谁要是想用掩饰我们的干部所犯错误的方法，来怜惜他们的面子，那他就会既戕害干部，又戕害干部之面子，因为他既掩饰他们的错误，就使他们容易重复犯出新的，也许更严重的错误，这些新错误，一定会把这些干部弄到完全不可收拾的地步，结果，使他们的“面子”与“安定”，都化为乌有。

（6）揭破右倾机会主义者对于自我批评的曲解。

今天我们接到了斯列普科夫同志关于自我批评的提纲。这个提纲原来在你们研究组会议上已经讨论了。研究组组员告诉我，说这个“提纲”发出的目的并不是要批评中央路线，而是要给中央路线以理论上的根据。如果否认党员有批评中央路线之权，这是不对的。而且我还认为你们研究组组员甚至有权在自己研究组内用自己特别的提纲来同中央的立场相对立。但是，斯列普科夫同志底“提纲”之目的，大概不是要批评中央路线或用什么新的路线来同中央路线对立，而是要解释中央立场，并给这种立场以理论上的根据。斯列普科夫同志底“提纲”在莫斯科党组织内有几许的流行，其原因大概就在于此。

但是，或者说正因为如此，我就认为应当声明：第一，斯列普科夫同志底“提纲”，并不与中央对于自我批评口号的立场相符合；第二，这个“提纲”是“改正”和“补充”中央立场，因而自然是把中央立场弄坏而为我们机关和组织中的官僚主义分子谋方便。

（a）首先，斯列普科夫同志“提纲”底立场就根本不对。斯列普科夫同志底“提纲”只在外表上是像自我批评口号的“提纲”。实际上，他的提纲乃是断定自我批评口号含有危险性。不待说，每一个革命口号在实施时都有遇到某种曲解的可能。自我批评口号当然也有这种可能。但如把这种可能当作问题底中心，当作自我批评“提纲”底基础，——那就是完全颠倒是非，就是损害自我批评底革命意义，就是帮助官僚主义者，因为官僚主义者正因为害怕自我批评底“危险性”而躲避这种自我批评。我相信，我们党组织和苏维埃组织中的官僚主义分子读罢斯列普科夫同志底“提纲”后，是一定感觉快意的。

这种立场同中央对于自我批评问题的立场，同中央和中监四月联席会议“对于沙哈亭煤井事件的决议”，同中央“关于自我批评问题的六月通告”等，是否有丝毫相同之点呢？

我认为是没有的。

（b）斯列普科夫同志底“提纲”，按其内容说来，也是不对的。我们组织中的官僚主义，就是使自我批评成为必不可免的最严重因素之一，而同时也就是自我批评底最重要对象之一，如果不去同党机关和苏维埃机关中的官僚主义作斗争，那是否能向前进展呢？是不能的。如果不去同我们组织中的官僚主义作坚决斗争，那是否能组织群众监督，提高群众底自动性和创造性，吸收千百万群众去参加社会主义建设呢？是不能的。如果不去实行自我批评口号，那是否能打破、削弱和铲除官僚主义呢？是不能的。如果在说明自我批评口号的“提纲”上不说明官僚主义问题，不说明官僚主义乃是我们社会主义建设事业中的坏因素，乃是自我批评之最重要对象之一——如果不去说明这点，那是否可以呢？显然是不可以的。那么斯列普科夫同志在自己“提纲”上竟不提起这个迫切问题，这是什么原因呢？怎么可以在目的是要给中央立场以理论根据的自我批评“提纲”上，忘记自我批评最重要的任务，忘记同官僚主义作斗争的任务呢？但事实却是：在斯列普科夫同志底“提纲”上没有一语道及（简直是没有一语道及）我们组织中的官僚主义，没有一语道及这些批评内部官僚主义分子，没有一语道及我们党组织和苏维埃机关的工作中有官僚主义的毛病。

这样轻浮对待最重要的反对官僚主义的问题态度，是否可以与中央对于自我批评问题的立场，与中央和中监四月联席会议“关于沙哈亭煤井事件的决议”，或中央“关于自我批评问题的六月通告”，彼此相容呢？

我认为是不可以的。

此致共产主义的敬礼

斯大林　一九二八年六月八日

（斯大林同志给共产主义学院党建设问题研究组组员的信，见一九二九年四月十九日《共产主义青年团真理报》）

第五章　党的巩固

一　思想斗争

第一个问题就是关于我们党内斗争这个问题。这一个斗争并不是从昨天才开始的，到现在还正继续着。要是从本党产生之日，即从一九〇三年布尔什维克小组之形成起，来观察本党的历史，并研究本党以后发展各个阶段以至于今日，那么，我们的党史就是一部党内许多矛盾斗争的历史，是一部征服这些矛盾而在征服这些矛盾的基础上来逐渐巩固本党的历史！这并不算什么过甚其辞。或者有人以为俄国人嗜好斗争，喜欢争辩，爱闹意见，所以他们党的发展就需要征服党内各种矛盾。同志们！这是不对的。问题并不在于嗜好斗争呵！这是由于存在着原则上的分歧，而这些分歧是在党的发展过程与无产阶级斗争过程中所发生出来的。问题正是在这里！只有为拥护这个或那个原则而实行斗争，为了确立这个或那个斗争目标来进行斗争，为了选择这一个或那一个达到此目标的斗争方法而斗争——只有这样，才能征服这些矛盾。在时事政治问题上，在纯粹带实际性质的问题上。是可以而且应该与党内抱有别种意见的人作一切妥协的。可是，假使这些问题是涉及到原则上的分歧，那么，任何的妥协，任何的“中间”路线，都无济于事了。在原则性质的问题上，没有而且不能有“中间”路线。不是这些原则应该成为党的工作基础，便是那些原则应摆在党的工作基础上。在原则问题上的“中间”路线，便是闭塞头脑的“路线”，抹煞分歧的“路线”，党在思想上腐化下去的“路线”，党在思想上死亡下去的“路线”。

目前西欧各国社会民主党是怎样生活和发展的呢？在他们党里是否有党内矛盾和原则上的分歧呢？自然，是有的。他们是否揭穿这些矛盾？是否努力在党员群众面前公开将这些矛盾征服下去呢？不，自然不是的。社会民主党的实际便是将这些矛盾和分歧掩盖隐藏起来。

社会民主党的实际乃是将自己的代表会和代表大会变成一些庆贺的宴欢大会，假面跳舞之场，设法掩蔽和掩饰党内的分歧。可是，这些嘉餐盛会，只是闭塞了人民的头脑，使党在思想上陷于贫困，此外便一无所得。这也就是西欧社会民主党崩溃的原因之一，昔日曾为革命的政党，现在呢，已变成改良主义的政党了。

同志们，我们却不能够这样生活与发展的。“中间”路线的政策不是我们的政策，这是萎缩而日趋于腐化的政党的政策。这一个政策不能不使党成为空洞的官僚主义的机关，和木偶一般，起不了什么作用，而且脱离工人群众。这个道路决不是我们的道路。

我们的党史乃是一部征服党内矛盾而拼命在征服这些矛盾的基础上巩固本党队伍的历史。这一个原理，在我们全部过去历史中都能得到证明。

就拿第一个时期，《火星报》或党的第二次代表大会时期来说，当时在我们党里，第一次发生了布尔什维克与孟塞维克之间的分歧；结果，我们党内领袖分成了两部分：布尔什维克（列宁）与孟塞维克（普列哈诺夫、阿雪洛德、马尔托夫、查苏里契、颇得勃索夫）。列宁当时是单身独汉。当时，要是你们知道的话，对于那些“不可复得”而离开了列宁的人物，你们会要哭得九死一生了！可是斗争实际和党的历史证明了，这一个分歧是有其原则的基础的，这一个分歧是诞生和发展真正革命的与真正布尔什维克主义政党所必需的阶段。当时，斗争的实际表明了：第一，问题不在于数量而在于质量；第二，问题不在形式上的一致而在这个一致要有其原则的基础。历史告诉了我们，列宁是对的，那些“不可复得”的人物是完全不对的。历史表明了，不将列宁与“不可复得”的人物之间的矛盾征服下去，那末我们就不能创造出真正革命的政党。

又拿其次一个时期，一九〇五年革命前夜这个时期来说，当时，布尔什维克与孟塞维克这两个政纲完全不同的营垒，依然在一个党里彼此互相攻击，当布尔什维克已处在本党形式上破坏的前面，他们为了坚持我们革命的路线，不得不召集自己的非常的代表大会（第三次大会）。党之布尔什维克部分当时何以能占得上风，以什么东西来取得了大多数党员们的同情的呢？这就是因为这部分布尔什维克不掩蔽原则的分歧，进行坚决的斗争以孤立孟塞维克的方法来征服这些分歧。

其次，我还能引证我党发展的第三个阶段，一九〇五年革命失败以后这一个时期，即一九〇七年这个时期，当时有一部分布尔什维克，所谓“召回派”以波克唐诺夫为首领，离开了布尔什维克主义。这是在本党生活中一个危急的时期。这个时期，有许多布尔什维克老干部人才都离开了列宁和列宁的党。孟塞维克当时高着嗓子大叫布尔什维克的死亡。可是，布尔什维克主义并没有死亡；而一年半来斗争的实际证明了：列宁和列宁党进行坚决斗争以征服布尔什维克队伍中的矛盾，这完全是正确的。这些矛盾之被征服下去并不由于掩蔽了事实，而是将这些矛盾揭露出来，公开地和他们斗争以谋本党的福利。

再次，我还能引证本党发展历史的第四个阶段，即一九一一至一九一二年这个时期，当时，布尔什维克将被沙皇反动势力所破坏了的党恢复了起来，把取消派都赶出党外去了。这里和过去的一切时期一样，布尔什维克之能够恢复和强固本党，并不是因为他们掩蔽了和取消派之间的原则分歧，而正是因为他们能够揭穿这些分歧而加以征服。

我再可以举出本党发展的第五个阶段，即一九一七年十月革命以前这一时期，当时，一部分布尔什维克，以布尔什维克党内几个有名领袖居其首，发生了动摇而不想进行武装暴动，认为这个暴动是一种冒险事业。谁都知道，布尔什维克克服了这一个矛盾，也并不是因为他们敷衍了这些分歧；而是他们为了十月革命，曾对那班人作过公开的斗争。斗争的实际表明了，若不征服这些分歧，那么，我们会使十月革命陷于危急的境地。

最后，还可指出我们党内斗争发展过程中以下的各个时期，布列斯特的和约时期，一九二一年职工会问题争论时期和其他各时期，不过这些你们都已经知道，用不着我来多说了，谁都知道，在所有这些时期，也和在过去各时期一样，我们的党是在征服党内各种矛盾过程中发展与坚固起来的。

由此，可以得出什么结论呢？

从这里可得出这样的结论，即我们的党是在征服党内各种矛盾的过程中发展和巩固起来的。

这就是说，以斗争来征服党内的分歧乃是本党发展的规律。

有人能够说，这个规律是苏联共产党内的，可是对于其他的无产阶级政党，却全不适用。这是不正确的。这是对一切比较大的政党的发展都适用得着的规律（姑无论苏联无产阶级政党也好，西欧各国政党也好）。若是在小国小政党里，还可这样或那样地模糊党中的分歧而隐蔽于一人或数人的威信之下，那么，在大的政党中以其有各种不同的区域，则经过征服党内的矛盾以发展党，乃是发展与巩固的必需因素。过去是这样，现在还是这样。此地，我想来引证恩格斯一段富有威信的话；他与马克思一块指导过西欧的无产阶级政党，不止十年。这是十八世纪八十年代的事，当时，德国有反对社会主义者的特殊法律存在，马克思和恩格斯侨居伦敦，而德国社会民主党的海外秘密机关报《社会民主党》，实际上是指挥了德国社会民主党的工作，培恩斯坦当时还是革命的马克思主义者（还没有来得及跑到改良主义者方面），关于德国社会民主党许多日常迫切的政治问题，恩格斯常与他有信往来。请看恩格斯致培恩斯坦信中说些什么（一八八二年）：

很明显地，大国一切工人政党，只有在党内斗争中，与辩证发展规律全相适应时，才能发展起来。德国党之有今日，是在爱桑拉哈派与拉萨尔派之间的斗争中（在这里，这一个冲突是表演了主要的作用）发展起来的。只有当拉萨尔有意豢养起来而用为自家工具的那些贱徒一个一个败亡之后，党的一致，才有可能。可是从我们这方面，太过于匆忙，不等到他们的败亡，就和他们一致起来。在法国呢？人们虽然拒绝了枯占宁的理论，可是还继续着巴枯宁的斗争方法，他们想将运动的阶级性质来为自己的社会目的而牺牲。首先就必须把这些人打倒，然后才会有一致之可能。不然，在这些条件下，想来宣传一致，简直是愚不可及。道德上的传道说教，并不能预防幼稚的病症，在目前的条件之下，这些病症是应加以医治的。（请看《马克思和恩格斯文库》第一卷三二四——三二五页）

因为，恩格斯在别处又说（一八八五年）：

在任何时候，没有谁可以把矛盾长期掩蔽起来，矛盾须由斗争来解决。（见同书三七一页）

我们党内矛盾的存在，及我们党只有以斗争征服这些矛盾的过程中才能发展起来，其原因所在，首先就该这样来解释。

但是，这些矛盾与分歧是从何处来的，其根源何在呢?

我想，无产阶级政党内部的矛盾，是在下列两种情形中产生出来的。

这些情形是什么呢?

第一，是在阶级斗争环境中，资产阶级及资产阶级的思想在无产阶级及其政党中散布其影响，无产阶级中那部分最不坚决的阶层（也就是指无产阶级政党中最不坚定的阶层），常受此影响而向其投降。绝不能以为无产阶级是完全与社会孤立而逍遥于社会以外的东西。无产阶级是社会的一部分，有千头万绪将他和社会上许多不同的阶层来联系着。而党又是无产阶级的一部分。因此之故，党也不能自由自在地脱离它和资产阶级社会许多不同的阶层间的联系而不受其影响。资产阶级及资产阶级思想之影响往往深入于无产阶级及其政党中。资产阶级的意识、道德、习惯和情绪，往往经过那部分与资产阶级社会这样或那样联系着的无产阶级阶层，而深入到无产阶级及其政党中来。

第二，是因为工人阶级成分之复杂，工人阶级内部存在着各种不同的阶层。我想，可将无产阶级分为三个阶层：

第一个阶层，这就是无产阶级的基本群众，它的核心及经常干部，这就是“血统”无产阶级群众而早与资产阶级破坏了一切联系了的。这一个无产阶级阶层是马克思主义之最可靠的柱石。

第二个阶层，这就是不久从非无产阶级中出身，由农民、小资产阶级队伍及知识分子中出身的。这种阶层，仅在不久以前才跑入无产阶级的队伍，而将自己的习惯、嗜好、动摇都带到工人阶级里面来。这一个阶层是一切无政府主义、半无政府主义和“超左派”之最便当的基础。

最后，第三个阶层，这就是工人贵族、工人阶级的上层分子，是无产阶级中生活上最有保障的一部分。他们总是希望和资产阶级妥协，其主要心理，便是巴结世界上的权贵人物而“自谋其位”。这个阶级正是一切公开的改良主义者和机会主义最适宜的基础。

这末尾两个工人阶级阶层，虽然他们相互间外表上有些分别，可是他们多少总是代表一个共同的园地，培养着一般的机会主义：在工人贵族的情绪占上风时就要产生公开的机会主义；而在那些还没有和小资产阶级完全断绝关系的半小资产阶级情绪占上风时，便要产生一种以左的辞调掩蔽起来的机会主义。“超左”情绪常与公开的机会主义的情绪一致，这一个事实并没有什么奇怪。列宁屡次说过，“超左的”反对派乃是右派的孟塞维克的、公开的机会主义的反对派的另一方面。而这个是完全正确的。要是“超左派”来干革命，仅是等待着革命在明天就能胜利；那么很明显的，假使革命一下子搁浅，停滞起来，而不能在明天就得到胜利，则这一些

"超左派"自然就应该陷于绝望之境，对革命会灰心失望起来。

自然，在阶级斗争发展中每一个转变关头，在这个斗争每一次加紧与困难加强之下，无产阶级各个阶级间的观点、习好和情绪之差别，必然立刻反映到党内来，引起许多分歧的意见；而资产阶级和资产阶级思想的影响又必然使这些分歧更加激烈起来；无产阶级政党内的斗争，便是跑出这个分歧的出路。

这些就是党内矛盾与分歧的根源。

是否可以躲避这些矛盾和分裂呢？不，不能够的。若有人以为可以躲避这些矛盾，这就是自己欺骗自己。恩格斯说得对：没有人能够把矛盾长期掩蔽起来，矛盾须由斗争来解决。

这并不是说，党应当变成一个争辩的俱乐部。反之，无产阶级的政党，是而且应该是无产阶级的战斗组织。我想要说的，就是我们不应该来躲避党内这些分裂，闭着眼睛，看不到党内这些分歧，假使这些分歧是带有原则性的话；我想要说的，就是只有实行为了原则路线的斗争，才能使无产阶级政党免于资产阶级的打击和影响。我想要说的，就是只有征服了党内的分歧，才能使党达到健康与坚固的地步。

二 清除机会主义分子

党是因为清除自己队伍里的机会主义分子而巩固起来的。党内机会主义的分子就是派别组织行动底来源。无产阶级并不是一个闭关存在的阶级。因为资本主义的发展，许多农民、小资产阶级分子、知识分子都不断地无产阶级化，流入无产阶级队伍中。同时无产阶级底上层分子中发生腐化过程，这些分子主要地是由被资产阶级利用从殖民地得来的额外利润所豢养的工会家和议员们。列宁说过：

> 这个资产阶级化了的工人阶级或“工人贵族”，就他们的生活方式、工资数量和他们整个的世界观看来，都完全是小资产阶级的，他们是第二国际底主要支柱，而在现时则是资产阶级主要的社会的（不是军事的）支柱，因

为这是资产阶级在工人运动中的真正代办，是资本家阶级所雇用的工人佣仆，是改良主义和大国主义底真正执行者。（请参看《列宁全集》第十九卷，第七七页）

所有这些小资产阶级的派别，这样或那样钻入党内，带进动摇和机会主义底精神、腐化和犹疑底精神，他们主要地也就是派别组织行动和瓦解现象的来源，是使党的组织涣散和使党内发生爆裂的来源。如果在自己后方有这样的“同盟者”，而去与帝国主义者交战，这就是陷于腹背受敌的地位。因此无情地同这般分子斗争，将他们赶出党外，就是与帝国主义作有成效的斗争的先决条件。

主张以党内思想斗争的方法来“征服”机会主义分子的这种理论以及主张在一党底范围内来“消除”这些分子的这种理论，都是腐败的和危险的理论，这种理论有使党陷于麻痹和终身残病的危险，有把党交给机会主义者蚕食的危险，有使无产阶级失掉革命政党的危险，有使无产阶级在反帝国主义的斗争中失去主要武器的危险。如果我们党内有了马尔托夫与唐恩，波特列索夫与阿雪洛德这般人，它就不能够走上大道，不能够取得政权和组织无产阶级专政，不能在国内战争中获得胜利。如果我们的党已经能创立自己内部的统一，创立自己队伍底空前未有的团结，那末这首先就是因为它能够及时清除了机会主义的污浊东西，能够从党内驱逐了取消派和孟塞维克。无产阶级政党的发展和巩固底道路，就是把机会主义者与改良主义者、社会帝国主义者与社会大国主义者、社会爱国主义者与社会和平主义者从党内清除出去。党是因为清除自己队伍里的机会主义分子而巩固起来的。

列宁说过：

> 如果在自己队伍内有改良主义者、孟塞维克，那么就不能在无产阶级革命中争得胜利，就不能保持无产阶级革命。这显然是原则的问题。这已由俄国和匈牙利底经验明白证实了……在俄国有过很多次数的困难情形，假使当时孟塞维克、改良主义者、小资产阶级的

民主派仍旧留在我们党内，那末，苏维埃制度一定就被推翻了……在意大利，大家都认为快要发生无产阶级与资产阶级争夺国家政权的决战。在这样时机，不仅把那些孟塞维克、改良主义者、都拉底主义者驱逐出党外是绝对必要的，而且把那些能够动摇或者正在动摇到去和改良主义者维持“统一”的出色共产党员驱逐出去，撤销他们的一切负责职务，那可以成为甚至于有益处的事情……在革命前夜，和在为革命胜利而作最残酷的斗争的时候，党内最小的动摇都可以断送一切，可以破坏革命，可以使无产阶级丧失政权，因为这政权还未稳固，因为对于这政权的进逼还过分强大。如果动摇领袖在这个时候滚开去，这不是减弱，而是又加强党，又加强工人运动，又加强革命。（请参看《列宁全集》第二十五卷，第四六二——四六四页）

三　党的统一

党是意志底统一，不容有派别组织底存在。争得和保持专政，要是没有一个因为有团结性和铁的纪律而强有力的党，是不可能的。可是，如果没有意志底统一，如果没有全体党员行动底完全的和绝对的统一，那么，党内的铁的纪律是不可能的。这当然不是说，因此就绝对排斥党内意见斗争底可能。正是相反，铁的纪律并不排斥，而且容许批评和容许党内意见的斗争。这更不是说，纪律应当是“盲目的”，正是相反，铁的纪律并不排斥，而是认为要有自觉的和自愿的服从，因为只有自觉的纪律才能成为真正铁的纪律。但是为了意见斗争已经完结，批评已经结束，决议已经通过以后，全体党员意志底统一和行动底统一，就是必要的条件，没有这个条件，则无论统一的党，无论党内铁的纪律，都是不可能的。

列宁说：

在现在这个紧张的国内战争时代，共产党只有在下面这种情形中间，才能完成自己的责

> 任，就是如果党的组织是最集中化的，如果党内统治着几乎和军事纪律一样的铁的纪律，如果党的中央是具有广泛的全权的、具有权力的威信机关，为全体党员所信任的机关。（请参看《加入共产国际的条件》）

在争得专政以前的斗争条件中，党内纪律问题就是这样。

关于在争得专政以后的党内纪律也应当这样说，而且更应当这样说。

列宁说：

> 谁只要稍微减弱无产阶级政党底铁的纪律（特别是在无产阶级专政的时候），谁就是在事实上帮助资产阶级来反对无产阶级。（请参看《列宁全集》第二十五卷，第一九一页）

可是，从这里就可看到，派别组织底存在，是与党底统一及党内铁的纪律不能相容的。显然用不着证明，既有派别组织，就会产生几个中央，既有几个中央，就是表示党内没有总的中央，就是等于分散统一的意志，就是等于减弱和破坏纪律，减弱和破坏专政。当然，反对无产阶级专政的和不愿意领导无产阶级去夺取政权的第二国际的党，是可以主张派别组织自由这种自由主义的，因为它们根本就不需要铁的纪律。可是共产国际底党，把自己的工作建筑在争得和巩固无产阶级专政这种任务基础上的党，是既不能容忍“自由主义”，也不能容许派别组织自由的。党是意志底统一，它不容许有任何派别组织底行动和党内权力底分散。

因此，列宁曾“根据党底统一和实现无产阶级先锋队底意志统一——无产阶级专政成功底基本条件——这个观点，解释了派别组织底危险性”，我们党的第十次代表大会曾把这个解释写在《关于党的统一》的这个特别议决案内。

因此，列宁曾以“无条件底立刻开除党籍”相威胁，来要求“完全消灭任何派别组织行动”和“立刻解散一切根据各种政纲形成起来的团体”。（请参看《关于党底统一》的议决案）

第六章　干部

一　干部决定一切

是否能够说：我们的人都完全了解和觉悟这个新口号底伟大意义呢？我想不能这样说。否则在我们的实际工作中，就不会有人时常用太不成样子的态度去对待人们，去对待干部，去对待工作人员。“干部决定一切”这个口号，要求我们的领导人员，对于我们的工作人员，对于无论在哪一方面做工作的“大”“小”工作人员，表现出最关切的态度，很殷勤地栽培他们，当他们需要扶助的时候，就去帮助他们，当他们表现几次成绩的时候，就去奖励他们，提拔他们上进等等。然而在实际上我们常常看见人们用一种漠不关心的——官僚主义的，而且简直太不成样子的态度去对待工作人员。也正因为如此，所以就往往有人不去研究人员，不去研究了他们以后，才来位置他们，而往往把人们东抛西掷，如同抛掷棋盘上的小卒一样。看重机器并报告我们在重工业工厂和轻工业工厂里有多少技术品——这已学会了。可是用同样的热情来报告在某一个时期内我们培植了多少人才，我们怎样帮助了工作人员，使他们在工作里有了长进和受到锻炼，我却没有见过这么一回事。这是什么缘故呢？这个缘故在于我们还没有学会器重人才，器重工作人员，器重干部。

讲到这里，我回想起我在西比利亚充军时的一个故事。这回事情发生在春天，在涨水的时候。三十个人去到河里，捞取波涛汹涌的大河所冲下来的木头。黄昏时候，他们回到村庄里，但是缺少一个同伴。第三十个人在哪里呢，对于这个问题他们冷淡地回答说：第三十个人“留在那里”。我问：“怎么会留在那里？”他们用同样冷淡的态度回答说：“那还要问什么，当然是淹死了”。当时，他们中间有一个人忙于到什么地方去，他说：“要去给母马喝水”。我责备他们，说他们怜惜人还不如怜惜牲畜，其中有一个人出来回答而得到其余人的赞同，他说："人么，我们为什么要怜惜人呢：我们随时可以制造人。可是母马……你倒试一试制造一匹母马？"（全场欢动）你们看这一个例子，也许它是不十分重要的，可是它是一个标本的例子。刚才说过的遥远西比利亚所发生的故事中，曾表现人对人的一种奇异态度，我觉得我们有些领导人员对待人才，对待干部所采取的冷淡态度以及他们不会器重人才的习惯，乃是上面所讲的人对人的那种奇异态度所留下的残余。

因此，同志们，如果我们要很奏效地消灭人才缺乏的现象，并且使得我们国家有充分数量的、能够推动技术前进并使技术动作起来的干部，那么，我们首先应当学会器重人才，器重干部，器重有利于我们共同事业的每个工作人员。末了，应当了解：世界上所有的宝贵资本中，最宝贵的和最有决定意义的资本乃是人才，乃是干部。应当了解：在我们现时条件之下，"干部决定一切"。如果我们的工业中、农业中、运输业中、军队中将有良好的和人数众多的干部，那么，我们的国家就不会被人战胜。要是我们没有这种干部，我们就会寸步难行。

我们话说完了，让我举起这杯酒，庆祝我们红军学院毕业生底健康和进步！希望他们在领导和组织国防的事业上一切都顺利！

同志们！你们在最高学府毕业了并在那里受了初次的锻炼。可是，学校——这只是预备的阶段。干部底真正锻炼要在活的工作中，在学校以外，在与困难作斗争中，在克服困难的过程中，才能取得。同志们，要记得：只有这样一种干部才是好的，这种干部不害怕困难，这种干部不回避困难，反之，他们前去迎接困难，以便克服和消灭困难。只有在与困难作斗争中才能锻炼出真正的干部。如果我们的军队有充分数量的真正的受过锻炼的干部，那么，它就成为不能被人战胜的军队。

二　干部政策

同志们！如果没有能够实行决议的人，那么，我们的最好的提纲决议都会成为一纸空文，因此，干部问题是最重要的问题之一。然而可惜得很：在同志们发言讨论的时候，差不多完全没有注意到这一个问题。

共产国际执行委员会底工作报告，讨论了七天，各国许多代表，一概说了话。但是只有几个人顺便讲到各国共产党和工人运动底这个非常重要的问题。我们的党在自己的实际中还绝对没有感觉到：干部人才，是决定一切的。他们不会像斯大林同志教训我们的那样培养干部，“如同园丁培植可爱的果树一样”，不会“器重人才，器重干部，器重每一个有益于我们共同事业的工作人”。

因为我们在斗争中经常损失我们一部分最宝贵的干部，所以，尤其不可轻视干部问题。因为我们不是一个科学研究会，而是经常在火线上战斗的运动。我们的最努力的、最英勇的和最觉悟的分子站在前列作战。敌人所要摧残的，正是他们，正是这些先进分子，敌人残杀他们，把他们囚禁在监狱里，赶进苦工营，严刑拷打他们，尤其是在法西斯国家里。因此，我们特别必须经常补充、培植和教育新起的干部和努力保存现有的干部。

现在，干部问题之所以特别重要，还因为在我们的影响之下，统一战线底群众运动，日益发展，这种运动产生出成千累万的新起的无产阶级的积极分子。同时要知道，现在加入我们党底队伍的，不仅有从来没有参加过政治运动的、年轻的革命分子、革命的工人。而且，过去的社会民主党员和积极分子，也往往走到我们这里来。我们应当特别注意这些新干部，尤其是在秘密党里，尤其是因为这些理论程度很低的干部，在自己的实际工作中，常常遇到他们自己必须解决的、极严重的政治问题。

正确的干部政策问题，对于我们党，对于共产主义青年团，以及对于一切群众组织，对于整个革命工人运动，都是最迫切的问题。

什么是正确的干部政策呢?

第一，必须熟悉自己的人才。在我们的党里，照例都是没有经常考察自己的干部。只是近来，法国共产党和波兰共产党，以及东亚方面的中国共产党，才在这方面达到相当的成绩。德国共产党，在转入秘密状况以前，也曾经着手考察自己的干部。这些党底经验告诉我们：一开始考察人才，就发现了以前所没有看出的工作人员，而在另一方面，就开始肃清了思想上和政治上有害的异己分子，不必多说，只要拿法国谢芳拉和巴尔伯两人的例子来看就够了。这两个人，放在布尔什维克的显微镜下照了一下，却原来是阶级敌人底奸细，于是就开除了党籍。在波兰以及匈牙利，因为实行审查干部的缘故，也发现了奸细的巢穴，发现了努力暗藏着的敌人走狗。

第二，必须正确提拔干部。提拔干部，不应当是偶然的事情，而应当成为党底经常工作之一。如果提拔干部仅仅由狭隘的观点上来着想，而不顾到这个被提拔的共产党员与群众有没有联系，这是不好的。提拔干部应当同时顾到被提拔的人执行党的某种职务是否适当，被提拔的干部在群众中是否有声望。在我们党里，有过成效卓著的提拔例子。例如，在我们代表大会底主席团里坐着西班牙的女共产党员多洛列斯同志。两年以前她还在下层工作。在与阶级敌人初次交锋时，她就表现自己是一个很好鼓动家和战士。后来提拔她到党底领导机关工作，她就表现自己是一个最称职的领导人。（鼓掌）

在其他几个国家中，我也能够指出这一类的例子。

但是，一直到现在，提拔干部的工作，都多半是无组织的、偶然的，因此不是经常得到好结果。有时候，甚至于有人提拔清谈家、说大话的人、说空话的人、简直有害于事的人，去做领导者。

第三，必须善于利用干部。应当找到和利用每个积极分子底宝贵长处。尽善尽美的人，是没有的；应当利用现时所能利用的人，改正他们的弱点和缺点。在我们党里，往往非常不正确地利用优秀的、忠实的共产党员，不会因材致用；而其实如果利用这些优秀的、忠实的共产党员去做更加适宜于他们的工作，那末，他们一定能够贡献很大的益处。

第四，必须正确地分配干部。首先应当使得在运动底基本环节里有坚强的、与群众联系着的、由群众里产生出来的、有创作精神的和意志坚定的人；在最大的中心城市里，应使这一种积极分子完全够用。在资本主义国家中，把干部由一个中心调到别一个地方，是很不容易的。在资本主义国家中，调动干部，往往遇到许多阻碍和困难，例如经济困难、家庭关系等，应当顾到和设法克服这些困难，可是，我们的党，却总是没有注意到这些问题。

第五，必须有系统地帮助干部，仔细指导干部，用同志态度监督他们，纠正他们的缺点和错误，给他们以具体的日常的领导。

第六，必须注意保存干部。有必要时，必须善于及时把干部调到后方去，派新干部去代替。我们应当要求各国党底领导机关极端负责地保存干部，尤其是在秘密党里。（鼓掌）为要正确保存干部，同时还必须最认真地组织党内保守秘密的工作。在有些共产党里，许多同志认为他们的党，既然已经按照死板的公式，在形式上，实行改组，于是就算已经准备就绪，可以安然转入秘密状态。但是我们曾经遇到这样的现象，就是真正的改组，只是在转入秘密状态以后，在受到敌人底直接严重打击的时候，才开始进行，因此我们曾不得不受到很大的损失。你们记得：德国共产党之转入秘密状态，是支付了怎样高贵的代价！今天还是合法存在而明天也许会丧失合法存在权利的共产党，应当把这种令人痛心的经验，当作严重的警告，当作今后工作的殷鉴。

我们党一定要有正确的干部政策，才可以尽量开展和利用现有的干部，并且由群众运动里——这个取之不竭的干部泉源里面，源源不绝地吸取新兴的和优秀的积极分子。

我们应当根据什么基本标准来挑选干部呢?

第一，我们的干部应当是对工人阶级事业抱无限忠心，对于党抱无限忠心，并且已经在战斗中、在监狱中、在法庭上——在与阶级仇敌作斗争时，证明自己实在抱有这种忠心的。

第二，我们的干部应当与群众有极密切的联系——每时每刻注意群众底利益，深知群众底情感、情绪和需要。党部组织底领导者之威信，首先就应当建筑在这样的基础上，就是要群众觉得他们是自己的领袖，群众根据自己的经验深信他们有能力来充当领导者，相信他们在斗争中有无限决心和牺牲精神。

第三，我们的干部应当善于在复杂的环境中独立决定方向并不怕负责解决问题。谁要是怕负责任，谁就不是领导者。谁要是不会表现创作精神，谁要是想——我只执行别人指定我做的事情，谁就不是布尔什维克。只有这样一种人才是真正的布尔什维克的领导者，这种人在失败的时候，不张皇失措，在胜利的时候，不骄傲自夸，这种人在实行决议的时候，表现百折不回的精神。在干部必须独立解决具体斗争任务，并觉着自己对这件事情负完全责任的时机，他们就最容易发展，最容易长进。

第四，我们的干部应当有遵守纪律的精神，并且是在反对阶级敌人的斗争中，在与一切离开布尔什维主义路线的倾向作不调和的斗争中，受过布尔什维主义的锻炼的。

同志们！这就是正确挑选干部底必要条件，我们应当特别着重指出这些条件之必要，尤其是因为在我们的实际工作之中，有些人往往宁愿用一些只是会写漂亮文章，说漂亮话，不能做事情，不能作斗争的人；却不愿意提拔真正的优秀同志，这些优秀同志，也许写得没有那样好，说得没有那样漂亮，可是却有坚定的意志、创作的精神、与群众有密切的联系。善于进行战斗而且还善于引导别人去斗争。（鼓掌）关门主义者、信条主义者、清谈主义者，把忠实的群众首领，真正工人的领袖排挤掉的事实，难道还少么？

我们的领导干部，应当知道他们自己应当做什么工作，同时还应当具备有布尔什维克的坚定精神、革命的品格和意志来实现这种工作。

同志们！在讲到干部问题时，我要说一说红色救济会在工人运动干部方面所应起的巨大作用。红色救济会底组织，对于被监禁者及其家属、政治侨民、受追究的革命者和反对法西斯蒂的人，给了很大的物质上和精神上的援助，各国工人阶级成千成万的最宝贵的战士底生命和战斗能力，都因为有这种援助而能挽救和保存。我们每一个曾坐过监狱的同志，都曾经直接感到红色救济会活动底极大意义。（鼓掌）

红色救济会，因为做了这许多工作，已经博得成千累万无产者以及革命农人和革命知识分子底爱戴、恋慕和深深的感激。

在目前这时候，因为资产阶级的反动变本加厉，法西斯主义日益猖獗，阶级斗争日益加剧，所以红色救济会底作用也非常增长。现在，红色救济会应当把自己变为所有资本主义各国（法西斯专政国家也在其内，当然要注意到这些国家底特别条件）劳动者底真正群众底组织。红色救济会应当成为无产阶级统一战线和人民反法西斯统一战线底“红十字会”，变成反对法西斯主义、为和平为社会主义而斗争的劳动阶级军队底“红十字会”，它的组织，应当包括几百万几千万劳动大众。要使红色救济会能够顺利地完成自己的这种任务，它就应当有成千成万的积极分子，人数众多的干部，即红色救济会的干部，这种干部底性质和能力，都适合于这个非常重要组织底特别使命。

说到这里，我们便应当十分严厉和十分坚决地说：如果在一般工人运动中，官僚主义、漠不关心的待人态度，已经是非常有害，那么，在红色救济会工作中，这种态度，那就等于犯罪了。（鼓掌）在监狱中、苦工营里受苦的工人阶级战士、受反动势力和法西斯主义所牺牲的分子、政治侨民及其家属，应当从红色救济会底组织和负责人那里，得到最周到的和最关切的照料。（长时间的鼓掌）红色救济会应当更好地去了解和执行自己的任务，去援助无产阶级运动和反法西斯运动底战士，保证无产阶级运动干部在精神和肉体方面的安全。加入红色救济会的共产党员和革命工人，应当时刻感觉着他们在工人阶级面前以及在共产国际面前所担负的重大责任，感觉着自己应该有成效地履行红色救济会底使命和任务。（鼓掌）

同志们，大家都知道：在斗争过程中，在克服艰难险阻的斗争中，以及好的和坏的例子，都是训练干部的最好机会。我们有几百个几千个例子，可以表明，在罢工时，在示威时，在监狱中，在法庭上的模范行为，我们成千成万的英雄。但是，可惜我们也有不少的恶劣例子，如意志薄弱、动摇不定、甚至于临阵脱逃的现象。可是，同志们时常忘记这两种例子，不去贬恶扬善，以期教育干部，不让自己的干部知道究竟什么应当效法，什么应当排斥。我们应当研究同志们和工人积极分子，在阶级冲突时、在警察审问时、在监狱和苦工营里、在法庭上等等的行为。从这中间，应当得出优良的例子，应当褒扬值得效法的模范，应当斥责腐败的、非布尔什维克的、庸俗的东西，自从莱布齐审案发生以来，我们有许多同志在资产阶级和法西斯蒂法庭上的发言，这些发言表明，我们所有的、人数众多的、十分了解布尔什维克在法庭上所应有的精神的干部，是正在发育，日益增加。

但是甚至我们这次大会代表中间，是不是很多人详细知道罗马尼亚的“铁路工人案”，德国被法西斯杀头

的“庶黎支案”，保加利亚革命士兵底案子，以及表现了最好的无产阶级英勇模范的其他许多案子呢？（掌声雷动，全场起立）

应当大事宣传这种无产阶级英勇精神的优秀模范，应当褒扬这种模范，以便使我们队伍中以及工人阶级队伍中的意志薄弱、庸俗以及各种腐化和软弱的行为，对之相形见绌，丑态毕露；应当极广泛地利用这些模范去教育工人运动底干部。

同志们！我们党的领导工作同志时常说：没有人，做宣传鼓动工作的人不够，办报的人不够，做工会工作的人不够，做青年工作，做妇女工作的人不够。人不够用，人不够用，没有人。

为要回答这个问题，我们可以引证列宁底一段为时已久，但万古长新的至理名言：

> 没有人，可是同时又是人很多。人很多，是因为工人阶级和日趋复杂的社会阶层，一年一年产生出不断加多的心怀不满的、愿意实行反抗的人……可是同时又是没有人，因为……

> 我们缺少富有组织才干的干部以便进行广泛的、统一而有条理的工作，来利用每一种，甚至于极小的力量。（请看列宁著:《做什么？》，俄文版《列宁全集》，第四卷，第四五九页）

列宁这一段话，我们是应当深深领会，应当把它当作日常的指示，切实执行。人很多，只是应当在我们自己的组织内、在罢工和示威的时候、在各种工人群众组织中、在统一战线机关内，物色他们；在工作和斗争过程中教育他们；适当地安插他们，使他们能够真正裨益于工人事业。

同志们，我们，共产党员，是做事业的人。在我们面前摆着极大的实际任务，我们应当进行实际斗争来反对资本的进攻，反对法西斯主义和反对帝国主义战争的危险，应当为推翻资本主义而斗争。共产党的干部，正是因为负有这种实际任务，所以必须用革命理论武装起来，因为正好像斯大林同志，这个革命事业最伟大的能手，教导我们的一样，理论使实际工作人能够决定方向，能够明白认识前途，在工作时有把握，相信我们事业一定会胜利。

但是真正的革命理论，却是与各种空洞的理论主义，与各种华而不实的舞弄抽象定义的把戏，水火不相容的。列宁曾经再三说过：我们的理论不是教条，而是行动的指南。我们的干部之需要这种理论，正好像需要粮食、需要空气、需要茶水一样。

谁如果愿意真正消灭工作里的死板的公式主义，有害的咬文嚼字的习气，谁就应当与群众一起和领导群众来进行实际的奏效的斗争，就要努力领会马克思——恩格斯——列宁——斯大林的学说，领会这个强有力的、效用无穷的、万能的、布尔什维主义的理论。（鼓掌）

说到这里，我认为必须特别使你们注意我们的党校工作。我们的学校所应培养的，并不是书呆子、清谈家和引证专家。不是的！由党校毕业的，应当是为无产阶级事业而斗争的实际工作的先进战士。先进战士之所以先进，不仅是由于他们比别人更勇敢，更有不怕牺牲的决心，而且由于他们比普通工人看得更远，比普通工人，更知道劳动者底解放道路。共产国际各支部，不应当迁延耽搁而应当立即认真办理党校，以便把党校变为锻炼这种党干——这种战士的冶炉。

我认为，我们党校底基本任务就在于：教导在校的党员和团员，使他们会把马克思列宁主义的方法，应用到该国的具体环境中去，应用到具体条件中去，应用到反对当前的具体的敌人而不是反对“一般的”敌人的斗争上去。为要达到这个目的，所必须研究的，并不是马克思列宁主义底字母，而是马克思列宁主义底生动的革命的精神。

在我们的党校中可以用两种方法来培养干部！

第一种方法就是：用抽象的理论来培养人才，给他们灌输一大堆干燥知识，教他们用美丽词藻起草提纲和决议，只是顺便涉及该国实际问题、该国工人运动、工人运动底历史、工人运动底传统以及该国共产党底经验。实在只是顺便涉及！

第二种方法，就是要学生在学习理论时，在学习马克思列宁主义底根本原则时，必须实际研究本国无产阶级斗争底具体问题，以便他们后来回去做实际工作的时候，能够独立决定方向，能够成为独立的实际组织者、领导者，能够引导群众去作反对阶级敌人的斗争。

并不是所有在我们党校里毕业的学生都是有用的。很多空洞的词句，很多抽象观念，一肚子的书本气味，满口的皮毛学识。而我们所需要的，却是实在的、真正布尔什维克的群众组织者和领导者。我们在今天所迫切需要的，就是这一种人才。就算这种学生不能起草美丽的提纲（虽然我们也很需要能起草美丽的提纲的人），但是应当会组织和领导，不怕困难，会铲除困难。

革命的理论，是革命运动之综合起来的经验；共产党员在自己的国家中，所应当精密利用的，不仅仅是国际工人运动其他队伍之以往的经验，而且是目前斗争的经验。然而正确利用经验，这并不是机械地把现成斗争形式和方法由一种条件搬到别一种条件中去，由一个国家搬到别一个国家中去，而这一种机械搬运，在我们党里是数见不鲜的。在资本主义的国家里，甚至于就是苏联共产党底工作形式和方法，也不可以机械模仿，因袭抄写，如果你这样模仿和抄写，好像我们在实际中所时常看见过的一样，那末就不管你的主观志愿如何好，也只能有害于事，而不会有益于事。正是根据俄国布尔什维克底经验，我们应当学习怎样灵活地和具体地在反对资本的斗争中，来把唯一的国际路线应用到每个国家的特别环境中去，我们应当学会毫不留情地排斥、鄙弃和号召全体民众来讥笑各种恶习，例如：说空话、拘守成规、咬文嚼字以及信条主义等等。

同志们！应当学习，应当时刻学习，每一步，在斗争过程中，在自由时和在监狱里，都要学习。学习和斗争——斗争和学习。应该领会马克思——恩格斯——列宁——斯大林学说，同时还应当具备斯大林做工作和作斗争时的坚忍精神，斯大林的毫不调和的反对阶级敌人和反对离开布尔什维主义路线的分子的原则精神，斯大林的毫不害怕困难的精神，斯大林的革命实际主义。（大鼓掌）

三　非党干部

现在让我来作一些个别的说明。首先就说到农村中的我们的党员。你们中间有党员，但是非党员更多。在这次大会上非党员比党员多些，这是很好的现象，因为首先需要吸收来参加我们事业的正是非党员。有些共产党员用布尔什维克的态度对待非党员底集体农庄庄员。但也有一些共产党员，他们摆着党员的架子，不准非党员接近自己。这是不好而且是有害的。布尔什维克底力量，共产党员底力量，就在他们善于把千百万非党积极分子团结于我党的周围。我们布尔什维克，如果过去不会争取千百万非党工农对党的信仰，那就不会有现在这样的胜利。但要争取千百万非党工农对党的信仰，就需要什么呢？需要使党员不致与非党员隔绝，需要使党员不致闭塞于自己的党的甲壳之内，需要使党员不要摆着党员的架子而要顾到非党员底意见，需要使党员不仅要教导非党员，而且要从非党员那里学习。

不要忘掉：党员不是从天上掉下来的。要记着：各个党员过去有个时候本身也是非党员。今天他是个非党员，而明天他会成为党员。其实这有什么架子可摆？我们老布尔什维克中间，有不少的人在党内作了二三十年的工作。但须知我们曾有一个时候自己也是非党员哩。假使在二三十年以前，当时的党员曾贱视我们而不准我们接近党，那我们当时的情形怎样呢？我们当时也许和党再隔离了几年。但须知我们老布尔什维克并不是一些

最坏的人呀，同志们。（听众笑容满面，不断鼓掌）

因此，有时瞧不起非党员的那些党员，现在那些年轻的党员，应该记着这一切情形，应该记着：使布尔什维克有声有色的不是傲慢，而是谦逊。

四　对待党员

最后，还有一个问题。我所指的就是关于我们的某些做党工作的同志，对于个别党员之命运所采取的那种形式主义的、官僚主义的漠视态度，对于开除党员之党籍或恢复党员之党籍问题所采取的那种形式主义的、官僚主义的漠视态度。这是因为我们的某些做党的领导工作者，犯有一个毛病，就是缺少对人、对党员、对工作人员之关注。而且他们并不考察组织内的党员，不知道他们如何生活，如何发展；根本就不知道自己的工作人员。因此，他们就缺乏以分别对待的标准去对待每个党员、每个党务工作人员的态度。而正是因为他们在估计党务工作人员的时候，没有遵守分别对待的标准，于是，他们通常都是轻易从事：不是笼统而不权衡轻重地褒奖他们，便是笼统而不权衡轻重地糟蹋他们，成千成万地把他们开除出党。这样的领导者，动不动就是以万数为单位，而不屑于关注什么“个别的单位”，而不屑于关注个别党员，而不屑于关注个别党员之命运。在他们看来，开除什么几千几万个党员出党，根本就算不得什么，却反而安慰自己道：我们党的党员人数既有两百万之多，那么开除几万个人出党，是不会对党发生任何影响的。可是，只有实际上极端反党的人，才能如此对待党员。

因为有以这种漠视态度来对待人、对待党员、对待党务工作人员的结果，所以在一部分党员里便用人工造成一些心怀不满的情绪和愤愤不平的心理，而托洛斯基两面分子，便乘机抓着这些愤愤不平的同志，并巧妙地把他们拖到托洛斯基暗害勾当的泥坑中去。

托洛斯基分子，就其本身说来，从来也未在我们党内有过什么大的势力。请你们回忆回忆一九二七年在我们党内所发生的最后一次辩论吧。这次辩论，曾是真正的全党公决。当时在我们党内共有八十五万四千党员，参加表决的，有七十三万。其中表决赞成布尔什维克的，就是说赞成我党中央而反对托洛斯基分子的，共达七十二万四千之多；而赞成托洛斯基分子的，却不过四千，就是说，约近千分之五；表示怀疑的，有两千六百。有十二万三千党员没有参加表决。他们之所以未参加表决，或是因为在旅程中，或是因为在工作中。如果对于赞成托洛斯基分子的四千票，再加上所有表示怀疑的票数——假定他们也是同情托洛斯基分子的；其次如果除此而外，还加上那没有参加表决的票数之一部分——假定其中有一部分也是同情托洛斯基分子的，而且即令不按通例只取其中千分之五，而是取其中百分之五，即是说，约近六千党员、那么结果所得，这样或那样同情托洛斯基主义的，总共也不过一万二千党员，你们看，这就是托洛斯基老爷们之全部力量。除此而外，如果你们还注意到一点，就是在这一万二千人中间，很多人早已对托洛斯基主义表示失望并离开了他，那你们就能明白知道托洛斯基分子的力量是如何渺小了。而如果虽然如此，托洛斯基暗害分子终究在我党周围找得一些后备力量，那么，这是因为我们的某些同志，对于开除党籍和恢复党籍的问题，采取了不正确的政策，因为我们的某些同志，对于个别党员和个别工作人员之命运采取了漠视态度，而正是因为他们采取这样的不正确的政策和不正确的态度，于是他们就用人工造了一些心怀不满和愤愤不平的人，这样给托洛斯基分子造成这些后备力量。

在开除党员之党籍时，大部分都是以所谓消极为借口。什么叫做消极呢？原来人们认为如果某一党员，没有精通党纲，那么，他就是消极分子，应被开除党籍。可是，同志们，这是不对的。决不可以这样咬文嚼字地了解我们的党章。为要精通党纲，非身为百分之百的马克思主义者久经考验和富有理论修养的马克思主义者不可。我可不知道，我们的党员当中是否有很多人已经精通我们的党纲，已成为百分之百的马克思主义者，富有理论修养和久经锻炼的马克思主义者。如果再继续照这条道路走去，那么，我们就会只能把知识分子和学者留在党内。谁需要这样的党呢？我们有受过审查的、备受一切考验的、列宁的党员定义。这个定义就是：凡承认党纲、缴纳党费、并在某一个党组织内工作者，皆得为党员。请你们注意，在列宁的定义里所说到的，并不是精通党纲，而是承认党纲。这是两件完全不同的事情，丝毫用不着证明，在这里，有理的是列宁，而不是我们的党务工作同志，而不是我们的那些妄谈什么精通党纲的党务工作同志。这本来就是显而易见的。如果我们党所持的出发点，是认为只有那些已经精通党纲、已成为富有理论修养的马克思主义者的同志才得为党员，那末，我们党就不会在自己党内设立成千的党课组，成百的党校，让党员研究马克思主义和帮助他们精通我们的党纲。很明显的，我们党之所以在党员中间组织这样的党校和党课组，正是因为我们党知道党员们还没有来得及精通党纲，还没有来得及成为富有理论修养的马克思主义者。

因此，为要纠正我们对于党员资格问题和开除党籍问题的政策，就必须消除现有的那一种荒谬绝伦的关于消极分子问题的见解。

可是，我们在这一方面还有另一种错误。问题在于我们的同志根本就不承认处在两个极端之间的正轨。只要某一个工人同志，某一个党员，稍微犯了一点过失，迟到了一两次党员会议，因某种原因没有缴纳党费，人们就立刻把他逐出党外。谁也不注意他所犯过失的程度、不到会的原因、未缴纳党费的原因。在这些问题上所表现的官僚主义，简直是空前未有的。不难懂得，由于这种漠视政策的结果，许多很好的工人干部、优秀的斯塔汉诺夫者，竟被抛出党外。难道在开除党员之党籍以前，不可以给以预告；而如果预告无效，难道不可以给以劝告或警告；如果这仍然无效，难道不可以给以改正错误的期限；或者万不得已时，难道不可以将其由正式党员转为候补党员，而并不一下子就开除其党籍吗？当然，本来是可以这样做的。可是，要做到这一点，就必须要用关心态度，对待每个人，对待每个党员，对待每个党员之命运。而这一点正是我们的某些同志所缺少的。

同志们！已经应当，而且早已应当消灭这种岂有此理的现象了。（鼓掌）

第七章　党的领导

一　党与群众的关系

（一）无产阶级专政系统里的党和工人阶级

在上面，我已经从无产阶级专政底历史必然性方面，它的阶级内容方面，它的国家本质方面，最后是由它的那些应当在整个历史时期——所谓由资本主义进到社会主义的过渡时期——里去完成破坏的和建设的任务方面，讲到了无产阶级专政。

现在我们应该从无产阶级专政底构造方面，从它的“结构”方面，从它的那些“联系带”、“杠杆”以及那个“指导力量”底作用和意义——这些东西底总和便是“无产阶级专政底系统”（列宁底话），而且无产阶级专政底日常工作就是借着这些东西来实现的——方面，来讲到这个无产阶级专政。

什么是无产阶级专政系统里的这些"联系带"或"杠杆"呢？什么是这个"指导力量"呢？为什么需要这些东西呢？

杠杆或联系带就是无产阶级底这样的一些群众组织，如果不借助于这些组织，就不能实现专政。

指导力量就是无产阶级底先进部队，就是它的先锋队，这个先锋队就是无产阶级专政底基本领导力量。

这种联系带、杠杆与指导力量，都是无产阶级所必要的，因为如果没有这些东西，无产阶级在它争夺胜利的斗争中，在有组织的和有武装的资产阶级前，便会成为没有武装的赤手空拳的军队。这些组织是无产阶级专政所必要的，因为如果没有这些组织，那么，无产阶级在自己的为推翻资产阶级的斗争中，在为巩固自己的政权的斗争中，在为建设社会主义的斗争中，便会遭受必不可免的失败。这些组织底有系统的援助和先锋队底指导力量是必要的，因为如果没有这些条件，则多少长久的和巩固的无产阶级专政是不可能的。

这些组织是什么呢？

第一，这就是工人底职工会及其中央和各地的支脉，即许多生产的、文化的、教育的及其他的组织。职工会联合着所有一切职业底主人。这不是党的组织。职工会可以说是包括我们这里的统治阶级——工人阶级——底全体工人的组织。是共产主义底学校。把自己队伍中的优秀分子提拔出来，作所有一切管理部门里的领导工作。把工人阶级中的先进分子与落后分子联系起来。它把工人群众与工人阶级底先锋队联结起来。

第二，这就是苏维埃及其在中央和各地的无数支脉，即行政的、经济的、军事的、文化的及其他的国家的组织，更加上无数的自动的劳动群众团体，这些团体帮助着这些组织并使这些组织与人民联结起来。苏维埃是城市中和乡村中所有一切劳动者底群众组织。这不是党的组织。苏维埃是无产阶级专政底直接表现。所有一切关于巩固专政和建设社会主义的办法，都是经过苏维埃来实行的，无产阶级对于农民的国家领导，是经过苏维埃来实现的。苏维埃把千百万的劳动群众和无产阶级的先锋队联结起来。

第三，这就是所有各种合作社及其所有一切的支脉。这是劳动者底群众组织，不是党的组织。这种组织把他们联合起来，最初是使他们以消费者资格联合起来，然后就使他们以生产者资格联合起来（农业合作社）。在无产阶级专政巩固以后，在广阔建设底时期，这种组织便带有特别重大的意义。它便利无产阶级先锋队与农民群众间的联系，并造成一种吸收农民来参加社会主义建设工作的可能性。

第四，这就是共产青年团。这是工农青年底群众组织，不是党的组织，但它是很接近于党的。它的任务就在帮助党以社会主义的精神来教育青年。它替无产阶级底其他一切群众组织，造就一些供给所有一切管理部门工作的青年后备队。在无产阶级专政巩固以后，在无产阶级底广大的文化教育工作时期，青年团带有特别重大的意义。

最后，这就是无产阶级底政党，无产阶级底先锋队。它的力量，就在于它把无产阶级底所有一切群众组织中的所有一切无产阶级优秀分子，都收集在自己的队伍里面来。它的任务就在统一无产阶级底所有一切群众组织里的工作，并指导它们的行动，使其向着同一的目的走，向着解放无产阶级的目的走。而联合它们和指导它们向着同一的目的走，是绝对必要的，因为不做到这一点，无产阶级斗争底一致是不可能的，因为不做到这一点，在夺取政权的斗争中，在社会主义建设的斗争中，领导无产阶级群众是不可能的。但是，只有无产阶级底先锋队，无产阶级底政党，才能统一和指导无产阶级的群众组织里的工作。只有无产阶级底政党，只有共产主义者底党，才能完成无产阶级专政系统里的基本领导者底这个作用。

为什么呢?

第一，因为党是工人阶级里的优秀分子集合的地方，这些分子与无产阶级底非党的组织有直接的联系，而且常常领导他们；第二，因为党既然是工人阶级里面的优秀分子集合的地方，所以它就是一个造就工人阶级领袖的最好学校，这些领袖能够领导本阶级底一切形式的组织；第三，因为党既然是造就工人阶级领袖的最好学校，所以按其经验和威信说来，它就是这样一个唯一的组织，只有这个组织才能够把无产阶级斗争底领导集中起来，并这样来把工人阶级底所有的和各种各样的非党组织都变成服务机关和联系带，使党与阶级联结起来。（请参看《关于列宁主义底基础》）

党是无产阶级专政系统里的基本领导力量。

党是无产阶级阶级联合底最高形式。（列宁底话）

总之，职工会是无产阶级底群众组织，这个组织首先就是在生产方面，把党与阶级联系起来；苏维埃是劳动群众底组织，这个组织首先就是在国家事业方面，把党和这些劳动群众联系起来；合作社主要地是农民底群众组织，这个组织首先是在经济方面，在吸收农民参加社会主义建设方面，把党与农民群众联系起来；共产青年团是工农青年底群众组织，这个组织底使命是：帮助无产阶级底先锋队去以社会主义精神教育青年和培养青年的后备干部；最后，党是无产阶级专政系统里的基本的指导力量，它的使命就是领导所有这些群众组织。——这就是专政“结构”底一般状况，“无产阶级专政系统”底一般状况。

如果没有党，没有这个基本的领导力量，那么，多少长久的和巩固的无产阶级专政是不可能的。

这样一来，如果用列宁底话来说，那末：

> 一般和整个说来，结果就是一个在形式上非共产党的、敏捷的、比较广大的、很强有力的、无产阶级的机关，经过这个机关，党与阶级及群众密切联系起来；经过这个机关，在党的领导之下，实现着阶级底专政。（请参看《列宁全集》第二十五卷，第一九三页）

这当然不是说，党能够或者应该代替职工会，苏维埃以及其他的群众组织。党实现无产阶级专政。但是党并不是直接地来实现专政的，它是借助于职工会，经过苏维埃及其支脉来实现这个专政的。没有这些“联系带”，多少长久的和巩固的无产阶级专政是不可能的。

列宁说：

> 如果没有一些能够使先进阶级底先锋队与这阶级底群众们联系起来，使这阶级和劳动群众们联系起来的“联系带”，那是不能实行专政的……党是无产阶级底先锋队，而这个先锋队就实现无产阶级专政。如果没有职工会这样的基础，那是不能实现专政的，那是不能执行国家的职能的。为要实现这些职能，就必须要经过许多也是新式样的特别机关：就是经过苏维埃的机关。（请参看《列宁全集》第二十六卷，第六十四页和第六十五页。）

比方，在我们苏联这里，在无产阶级专政的国家里，应当把这样一件事实看作党领导作用底最高的表现，这事实就是我们的苏维埃的或其他的群众组织，在解决任何一个重要的政治问题或组织问题的时候，都要根据党底暗示。在这个意义上可以说：无产阶级底专政在实质上是它的先锋队底“专政”，是它的党底“专政”，因为党是无产阶级底基本的领导力量。请看列宁在共产国际第二次世界大会上关于这个问题所说的话：

> 田纳尔说，他是主张无产阶级专政的，但是他所了解的无产阶级专政并不完全和我们所了解的一样，他认为，我们所了解的无产阶级专政，在实质上就是无产阶级底那个有组织的和有觉悟的少数底专政。而且真的是，在资本主义时代，当工人阶级遭受着不断的剥削而不能发展自己的人类的才能的时候，工人政党底最大的特点，正是在于这政党只能包括本阶级底少数。政党只能团结本阶级底少数，正好像在无论哪个资本主义社会里，真正觉悟的工人，只是占全体工人底少数。因此，我们不得不承认，只有这个有觉悟的少数，才能够指导和引导广大的工人群众。而如果田纳尔同志说他是政党底仇敌，而同时又主张由工人阶级中少数最有组织和最革命的分子来给整个无产阶

级指示道路，那么，我就要说，在我们彼此中间，实际上是没有什么意见分歧的。（请参看《列宁全集》第二十五卷，第三四七页）

可是这是不是说，可以在无产阶级底专政和党底领导作用（党底“专政”）之间放一个等号呢？可以将前者与后者看作一个东西呢？可以将后者代替前者呢？当然不是这样说。当然是不可以的。例如苏林同志就说过“无产阶级底专政就是我们党底专政”。（请参看《列宁关于党的学说》第九十五页）这个说法显然是把“党底专政”和无产阶级底专政看作一个东西。从列宁主义底立场上看来，可不可以认为这种把两个东西看作一个东西的事情是正确的呢？是不可以的。这是因为：

第一，在我们刚才从列宁在共产国际第二次世界大会的讲演中引来的一段话里面，列宁绝对没有把党的领导作用和无产阶级专政看作彼此一样的东西。他只是说，“只有觉悟的少数[1]才能够指导和引导广大的工人群众”，正是在这个意义上“我们所了解的无产阶级专

[1] 就是说政党。——斯大林注

政，在实质上就是无产阶级底那个有组织的和有觉悟的少数底专政”，说“在实质上就是”，这还不是说“完全就是”。我们常常说：民族问题，在实质上，就是农民问题。而这种说法，是完全正确的。但是这还不是说，农民问题可以包括民族问题，农民问题底范围就等于民族问题底范围，农民问题和民族问题就是一个东西。显然用不着证明，民族问题底范围是比农民问题广泛些和丰富些。关于党底领导作用和关于无产阶级底专政，也应当和关于这个例子所说的一样说。如果党是实现无产阶级专政，而在这个意义上，无产阶级底专政，在实质上就是无产阶级政党底“专政”，那末，这不是说，“党底专政”（领导作用）和无产阶级专政就是彼此一样的东西，前者底范围就等于后者底范围。用不着证明，无产阶级专政底范围是比党底领导作用底范围广泛些和丰富些。党实现无产阶级底专政，但它所实现的正是无产阶级底专政，而不是什么别的专政，谁将党底领导作用和无产阶级底专政看作彼此一样的东西，谁就是用党底“专政”来代替无产阶级底专政。

第二，无产阶级群众组织底无论哪一个重要决议，都一定要根据党的领导的指示。这种说法是完全正确的。但这是不是说，无产阶级专政仅仅就是党的领导的指示呢？这是不是说，因此就可以把党的领导的指示和无产阶级专政看作彼此一样的东西呢？当然不是。无产阶级底专政，就是党的领导的指示再加上无产阶级底群众组织对于这些领导的指示底实行，再加上民众对于这些领导的指示底实施。这里显然是有许多过渡和中间阶段，这些过渡和中间阶段是无产阶级专政底重要元素。因此，在党底领导的指示与这些领导的指示底实施之间，还存在着许多东西，这就是：被领导者底意志和行动，阶级底意志和行动，它是否有决心去拥护这些指示，它是否有本事去执行这种指示，它是否有本事去依照环境底需要而实行这些指示。显然用不着证明：负有领导责任的党是不能不顾到被领导者底意志、情况和觉悟程度的；是不能不注意到本阶级底意志、情况和觉悟程度的。因此，谁把党的领导作用与无产阶级专政看作相同的东西，谁就是用党的指示来代替阶级底意志和行动。

第三，列宁说："无产阶级专政就是已经获得胜利的和已经取得政权的无产阶级底斗争"。（请参看《列宁全集》第二十四卷，第三一一页）这个阶级斗争可以表现在什么地方呢？它可以表现在无产阶级为反对被推翻的资产阶级底袭击，或反对外国资产阶级底干涉起见而进行的许多武装斗争中。在无产阶级政权没有巩固的时候，这种阶级斗争可以表现在国内战争中。在政权巩固以后，它的表现，就是无产阶级进行广大的组织的和建设的工作，并吸收广大的群众来进行这种工作。在所有这些情形下，行动者都是无产阶级这个阶级。从来也没有看见过，党，仅仅一个党，单是靠自己的力量而不借阶级底援助来进行所有这些斗争的。党照例只是领导这些斗争，而它所以能够领导这些斗争，只是因为它有阶级底援助。因为，党不能包括阶级，不能代替阶级。因为，无论党底领导作用怎样重要，党始终还只是阶级底一部分。因此，谁将党底领导作用与无产阶级底专政看作彼此一样的东西，谁便是用党来代替阶级。

第四，党实行无产阶级专政。“党就是无产阶级底直接当权的先锋队，就是领导者”（列宁）。在这个意义上，党掌握政权，党管理国家。但是，这还不是说：党可以超过国家政权，不要国家政权而来实行无产阶级专政；党可以越过苏维埃，不经过苏维埃而来统治国家。这还不是说：可以把党和苏维埃，和国家政权看作彼此一样的东西。党是政权底中坚。但是，它并不是国家政权，并且不能把它和国家政权看作同样的东西。列宁说："我们底党是一个当权的党，所以我们不能不把苏维埃的'上层'与党的'上层'混合起来，在我们这里，他们现在是混合的，而且将来还会是混合的"（请参看《列宁全集》第二十六卷，第二〇八页）。这种说法是完全正确的。但是，列宁这段话底意思绝对不是说：我们的那些整个的苏维埃机关，如我们的军队、我们的运输机关、我们的经济机关等等，都是我们党底机关，党能够代替苏维埃及其支脉，可以把党和苏维埃看作同样的东西。列宁屡次说："苏维埃底系统就是无产阶级专政"，"苏维埃政权就是无产阶级专政"（请参看《列宁全集》第二十四卷，第十四与第十五页）。但是他从来没有说过，党就是国家政权，党与苏维埃是一个东西。有几十万党员的党，领导着那些包括有几百万人——党员及非党员——的苏维埃及其在中央的和在各地方的支脉，但是党不能够而且不应该用自己来代替他们。正是因为这个缘故，所以列宁说："专政是由那个组织在苏维埃里的和受布尔什维克共产党领导的无产阶级所实行的"；"党底一切工作都是经过苏维埃——苏维埃把属于所有一切职业的劳动群众都联合起来——进行的"（请参看《列宁全集》第二十五卷，第一九三到一九四页）。专政"需要经过苏维埃的机关而实现"（请参看《列宁全集》第二十六卷，第六十四页）。因此，谁把党的领导作用和无产阶级专政看作同样的东西，谁就是用党来代替苏维埃，来代替国家政权。

第五，无产阶级专政这个概念是一个国家的概念。无产阶级专政一定包含着暴力的概念。如果确切地了解专政这个名词底意义，那么没有暴力，便不会有专政。照列宁所下的定义来说，无产阶级专政就是"直接依靠着暴力的政权"（请参看《列宁全集》第十九卷，第三一五页）。所以，如果说党底专政对于无产阶级的关系，同时又把这个专政和无产阶级的专政看作同样的东西，那么这就是说：党不仅应当是本阶级底指导者、领袖与教师，而且应当是一种对本阶级实行暴力的国家政权。因此谁将无产阶级专政和"党底专政"看作同样的东西，谁就是暗中以为可以把党底威信建筑在暴力上面，而这种想法是荒谬绝伦的，是完全与列宁主义不能相容的。党底威信是由工人阶级底信任来维持的。工人阶级底信任不是用暴力可以取得的，暴力只能消灭工人阶级底信任；而要党有正确的理论，党有正确的政策，党对工人阶级的忠实心，党与工人阶级群众的联系，要党有决心，有才干去说服群众来相信党的口号是正确的口号——只有这样，党才能取得工人阶级底信任。

从所有这些话里面，我们可以得到些什么样的结论呢？

可以得到这样的结论：

一、列宁用“党底”专政这两个字时，他并不是指“专政”这两个字底原来意思（依靠着暴力的政权），而是假借这两个字底意思，就是说指领导底意思。

二、谁把党底领导及无产阶级底专政看作同样的东西，谁就曲解列宁底意思，很错误地以对整个工人阶级施行暴力的职能，归之于党。

三、谁把那些实际上为党所没有的，以暴力对付工人阶级的职能归之于党，谁就违背了先锋队和阶级间的、党和无产阶级间的正确相互关系底基本要求。

这样一来，我们就直接碰到了关于党和阶级间的相互关系的问题，关于工人阶级里的党员和非党员间的相互关系的问题了。

照列宁所下的定义来说，这种相互关系就是“工人阶级底先锋队与工人群众间的相互信任”。（请参看《列宁全集》第二十六卷，第二三五页）

这是什么意思呢？

第一，这就是说：党应该仔细谛听群众底意见；它应该极力注意群众底革命本能，它应该研究群众斗争底实际；根据这种实际来检查自己政策底正确性。因此，党不仅应该教育群众，而且应该从群众那里学习。

第二，这就是说：党应该一天一天地取得无产阶级群众对它的信仰，党应该以自己的政策和工作，来造成群众对它的拥护，党不应该命令群众，而首先就要说服群众，帮助他们在自己的经验上认识党底政策是正确的政策；因此，党应该是本阶级底领导者、领袖与教师。

违背这些条件就是违背先锋队与阶级间的正确的相互关系，就是破坏他们的“相互信任”，就使得无论是阶级底纪律，无论是党底纪律，都受到破坏。

列宁说：

大概现在差不多无论什么人都看到了，如果我们党内没有极严格的真正如铁一般的纪律，如果不是工人阶级全体群众那样极完全地和大无畏地拥护党，就是说，如果不是工人阶级中一切有思想的、忠实的、不怕牺牲的、有威信的、能够领导或吸引落后阶层的人们那样极完全地和大无畏地拥护党，那末，布尔什维克不但不能把自己的政权维持到两年半，而且不能维持到两月半。（请参看《列宁全集》第二十五卷，第一七三页）

列宁往后又说：

无产阶级专政是为要反对旧社会底势力及其传统起见而进行的坚持的斗争，流血的和不流血的、暴力的与和平的、军事的和经济的、教育的和行政的斗争。几百万几千万人底习惯势力是最可怕的力量。如果没有一个铁一般的，在斗争中锻炼出来的党，如果没有一个为本阶级里全体忠实分子所信任的党，如果没有一个会注意群众情绪和会影响群众情绪的党。那末要顺利地进行这种斗争是不可能的。（请参看《列宁全集》第二十五卷，第一九一页）

但是，党是怎么取得阶级底这些信任和拥护的呢？为无产阶级专政所必要的铁的纪律，是怎样建立起来的呢？它是在什么基础上生长起来的呢？

请看列宁关于这点所说的话吧：

革命的无产阶级政党底纪律，是由什么东西来维持的呢？是由什么东西来审查的呢？是由什么东西来巩固的呢？第一，是由于无产阶级先锋队底觉悟性，他们对革命的忠实心、坚毅性、牺牲精神、英勇精神。第二，是由于他们能与极广大的劳动群众——首先是与无产阶级群众，但同样也与非无产阶级劳动群众——联系、接近，而且在某种程度上，可以说与他们融成一片。第三，是由于这先锋队所实现的政治领导底正确性，政治的战略与策略底正确性，而且还要有一个条件，就是要使极广大的群众们都根据亲自的经验来相信这个正确性。如果没有这些条件，那么在革命的政党内，就是说在担任有推倒资产阶级和改造全社会的使命的先进阶级底政党内，便不会有纪律了。如果没有这些条件，那么，一切要建立纪律的企图，都一定要变为空谈，变为虚言，变为笑话。而从另一方面说来，这些条件并不是一下子就能够产生的。只有长久的工作、困苦的经验，才能造成这些条件；只有正确的革命理论，才能使这些条件易于造成，而这个理论本身，又不是教条，而是只有与真正群众的和真正革命的运动底实际发生密切联系时才能形成起来的。（请参看《列宁全集》第二十五卷，第一七四页）

列宁继续说道：

为要战胜资本主义，那么，在领导的党（共产党）、革命阶级（无产阶级）——与群众（劳动者和被剥削者底总和）中间，就要有正确的相互关系。只有共产党，如果它真是革命阶级底先锋队，如果它是包含革命阶级底一切优秀的代表，如果它是由完全觉悟的忠实的、受坚持的革命斗争底经验所教育过和锻炼过的共产主义者所组成的，如果这个党能将自己和本阶级底全部生活密切联系起来，并且经过这个阶级去与全体被剥削的群众联系起来和得到这个阶级和这些群众底完全的信任——只有这样的党才能够领导无产阶级去作极无情的、坚决的、最后的斗争，以反对资本主义底一切势力。从另一方面说，只有在这样的党底领导之下，无产阶级才能够展开自己的革命进攻底全部势力，完全打消那为数很少的被资本主义所腐化的工人贵族、旧有的工联主义者以及合作运动领袖等等底不可免的反感和反抗——只有在共产党底领导之下，无产阶级才能够展开自己的全部力量，而它的这种力量，因为资本主义社会经济结构底缘故，是比它在人民总数中所占的分量大得不可计量的。（请参看《列宁全集》第二十五卷，第三一五页）

从这段引证里，应该得出以下的结论：

（一）党底权威和工人阶级中间为无产阶级专政所必需的铁的纪律，不是靠威吓或党底“无限”权力建立起来的，而是靠工人阶级对于党的信仰，靠工人阶级对于党的拥护建立起来的；

（二）工人阶级对于党的信仰，并不是一下子就造成的，并不是借着对工人阶级施行的暴力压迫手段造成的，而是全靠党在群众中的长期工作、党底正确的政策，全靠党善于根据群众自身底经验说服他们，使之相信党的政策之正确，全靠党善于保证自己得到工人阶级底拥护，善于引导工人阶级底群众；

（三）没有党底那种为群众底斗争经验所证实了的

正确的政策，没有工人阶级底信仰，就没有，而且不能有党底真正领导；

（四）如果党得到阶级底信仰，如果党的领导是真正的领导，就不能把党和党的领导拿来同无产阶级专政对立，因为要是没有一个得到工人阶级底信仰的党底领导（党底“专政”），就不能有多少巩固的无产阶级专政。

要是没有这些条件，那党底权威和铁的纪律，或者就是一句空话，或者就是夸张和冒险。

不可以把无产阶级专政拿来同党底领导（“专政”）对立。其所以不可以的，是因为党底领导是无产阶级专政中的主要东西，如果是讲到多少巩固的与完全的专政，而不是过去那样，例如巴黎公社那样的不完全的和不巩固的专政。其所以不可以的，是因为无产阶级专政和党底领导，是处在工作底一条线上的，是在一个方向内行动的。

列宁说：

只要提出问题来发问“党底专政还是阶级底专政？领袖底专政（领袖底党）还是群众底

> 专政（群众底党）？”就可以证明这个提问题的人底思想是糊涂到了惊人的和没有止境的地步……大家都知道，群众分成为阶级……通常，或在大多数情形中，至少是在现代文明国内，阶级是由政党领导的；政党底管理人，照例都是多少比较稳固的一批有威信的、有影响的、有经验的、被选出来担任最重要的职务的所谓领袖们……把问题弄到一般地将群众专政与领袖专政对立，这就是荒谬和愚蠢到可笑的地步。（请参看《列宁全集》第二十五卷，第一八八和一八九页）

这是完全正确的。可是这种正确的原理，是从这样的前提出发的，就是：先要在先锋队与工人群众之间，党与阶级之间有正确的相互关系。它是从这样的假设出发的，就是：先锋队与阶级之间的相互关系还是所谓常态的，还是在“相互信任”底范围以内。

可是，如果先锋队与阶级之间的正确相互关系，如果党与阶级之间的“相互信任”关系都被违背了，那时又将怎样呢？如果党自己开始这样或那样使自己与阶级对立，违背自己与阶级之间的正确相互关系的基础，违背“相互信仰”底基础，那时又将怎样呢？这样情形一般地是不是可能的呢？是的，是可能的。这样的情形是可能的：

（一）如果党开始不靠自己的工作与群众底信任，而靠自己的“无限”权力来在群众中建立自己的威信；

（二）如果党底政策显然不对，而它却不愿重新审查和纠正自己的错误；

（三）如果政策在大体上是正确的，可是群众还没有达到领会这个政策的程度，而党却不愿或者不会等待，不让群众得到机会去根据自己的经验来信服党底政策是正确的。

在我们党底历史上，有过好些次这样的情形。我们党内各种集团和派别组织之所以没落和消散了，都是因为它们违背了这三个条件之一，而有时连三个都一起违背了。

可是，从这里可以知道，把无产阶级专政与党底“专政”（领导）对立起来的观点，只有在以下的情况中间，才不能认为是正确的，就是：

（一）如果把党底专政对于工人阶级的关系，不是了解为原来意思上的专政（“依赖暴力的政权”），而是了解为党底领导，这个领导绝不使用暴力去对付整个阶级，去对付它的大多数；而列宁就正是这样了解的；

（二）如果党有根据做阶级底真正领导者，即是，如果党底政策是正确的，如果这个政策适合阶级底利益；

（三）如果阶级，如果阶级底大多数都了解这个政策，接受这个政策，由于党底工作而信服这个政策之正确，信任党和拥护党。

违背这些条件，就一定会引起党与阶级间的冲突，引起它们彼此的分裂，引起它们彼此的对立。

可不可以用强迫力量来强迫阶级接受党的领导呢？不，是不可以的。无论如何，这样的领导不会有多么长久的。如果党想依旧是无产阶级底党，它就应当知道，它首先和主要的是工人阶级底领导者、领袖、教师。我们不能忘记列宁在《国家与革命》这本小册子里面关于这点所说的话：

> 马克思主义教育工人党，就是教育无产阶级底先锋队，这先锋队能够夺取政权和引导全体人民走向社会主义，指导和组织新制度，在不要资产阶级并反对资产阶级而建立自己的社会生活这件事情上做一切劳动者和被剥削者底教师、领导人、领袖。(请参看《列宁全集》第二十卷，第三八六页)

如果党底政策不正确，如果它的政策与阶级底利益相冲突，是不是可以认为它是阶级底真正领导者呢？当然是不可以的。在这样的情形之下，它如果想依旧做领导者，它就应当修改自己的政策，应当纠正自己的政策，应当承认自己的错误和纠正这个错误。为证实这个原理起见，至少可以从我们党底历史中引证这样的事实，如取消粮食征收制时期，这时工农群众显然表示了不满意我们的政策，这时党就实行，公开地和诚实地实行修改这个政策。请看列宁当时在联共第十次代表大会上，关于取消粮食征收制及实行新经济政策的问题所说的话：

> 我们不应当设法隐瞒什么，而应当公开说，农民是不满意我们与他们彼此间相互关系底现有形式的，他们是不愿意要这种形式的，并且再不会这样生存下去的。这是无容争辩的。他们的这种意志表现得很肯定。这是绝大部分劳动民众底意志。我们应当估计到这一点，而且我们是这样清醒的政治家，以至于能够公开说：让我们来把我们对农民的政策修改一下罢。（请参看《列宁全集》第二十六卷，第二三八页）

如果党底政策虽然在大体上是正确的，但是这个政策，由于（比方说）阶级底政治落后，而还没有得到阶级底信仰与拥护，如果党由于（比方说）事变还没有成熟，而还没有能够说服阶级使之相信党底策略是正确的；既然是这样，那么是不是可以说，党只要根据自己的政策在大体上是正确的这一点，就应当自己担任提倡责任和领导责任，去组织群众底决定胜负的发动呢？不，是不可以的。在这样的情形之下，党如果想做真正的领导者，它就应当善于等待，应当说服群众使之相信党的政策是正确的，应当帮助群众去根据自己的经验信服这种政策是正确的。

列宁说：

> 如果革命政党在各革命阶级底先进队伍内以及全国内没有争得大多数，那就说不上什么暴动。（请参看《列宁全集》第二十一卷，第二八二页）
>
> 没有工人阶级大多数底见解上的转变，革命是不可能的，而这种转变是由于群众底政治经验造成的。（请参看《列宁全集》第二十五卷，第二二三页）
>
> 无产阶级的先锋队在思想上已经争得了。这是主要的。没有这一点，连走到胜利的第一步都不能作。可是这与胜利相隔还很远。单靠一支先锋队，是得不到胜利的。当整个阶级，当广大群众还没有抱定直接援助先锋队的立场，或者还没有至少是抱定对先锋队采取好意

> 的中立态度的立场和完全不能援助它的敌人的立场的时候，却叫一个先锋队去作决定胜负的战斗，那就不仅是愚蠢，而且是罪恶。而为要使真正整个阶级，真正广大的劳动的和被资本压迫的群众都走上这样的立场，光是宣传，光是鼓动，还是不够的。要达到这一点，就要有这些群众底亲自的政治经验。（请参看《列宁全集》第二十五卷，第二二九页）

大家知道，我们的党，在一九一七年由列宁底《四月提纲》到“十月暴动”这时期内，正是这样行动的。也正因为它依照列宁底这些指示行动了，所以它就争得了暴动底胜利。

先锋队与阶级间正确的相互关系底条件，大体上就是这样。

如果党底政策是正确的，而先锋队与阶级间的正确关系又不受到破坏，那么什么叫做领导呢？

在这样的条件之下，领导就是等于说服群众，使其相信党底政策是正确的，提出和实行这样一种口号，这种口号可以把群众引上党底立场，使他们易于根据自己的经验来看清党底政策是正确的，把群众提高到党底觉悟程度并这样来保证得到群众底援助，使群众有进行坚决斗争的决心。

因此说服方法是党领导阶级的基本方法。

列宁说：

> 如果我们现时在俄国，在两年半以来，空前地战胜了俄国及协约国底资产阶级以后，提出“承认专政”作为加入职工会的条件，那我们就是做蠢事，破坏自己在群众里的影响，帮助孟塞维克。因为共产党员底全部任务，就是要会说服落后分子，会在他们里面做工作，而不要想出一些幼稚的“左的”口号来与他们隔离。（请参看《列宁全集》第二十五卷，第一九九页）

这当然不是说，党应当说服一切工人，到最后一个人为止，不是说，只有做到这步以后才能着手行动，只有做到这步以后才能开始行动。绝不是的。这只是说，党在进行决定胜负的政治行动以前，应当进行长久的革命工作以保证自己得到大多数工人群众底拥护，至少是得到工人阶级大多数底好意中立。不然，则列宁所说的争取工人阶级大多数到党方面来乃是胜利革命底必要条件的这个原理，就丝毫没有意思了。

可是，如果少数人不愿意，如果他们不同意自愿服从大多数人底意志，那末对他们应怎样呢？党既然得到了大多数人底信任，它是不是可以强迫，是不是应当强迫少数人服从多数人底意志呢？是的，可以的，而且应当的。领导是由说服群众的方法，由党用以影响群众的这个基本方法来保证的。可是这并不是不容许强迫手段，而是容许强迫手段，如果这种强迫手段有工人阶级大多数对党的信任和拥护做基础，如果它是在说服了大多数人以后对少数人使用的。应当记起我们党内在工会问题的争论时期关于这一点所有过的争论。当时反对派底错误，运输工会中央委员会底错误在什么地方呢？是不是在于反对派当时认为可以采取强迫手段呢？不是的，并不是在这里。当时，反对派底错误是在于，它既不能说服大多数人使他们相信它自己的立场底正确，并没有大多数底信仰，而还是要去采用强迫手段，坚决主张“再三检查”那些负有大多数人底信仰的人。

请看列宁在我们党底十次代表大会上关于职工会的演说内是怎样说的：

> 为要建立工人阶级底先锋队与工人群众间相互关系，相互信任，那末，如果运输工会中央委员会犯了错误……就应当纠正这个错误。可是当人们开始来拥护这个错误时，这就会成为政治危险底来源。如果我们没有根据枯士梭夫在这里所表示的那些情绪，来采取尽量可能的民主办法，那我们就会走到了政治的破产。我们首先应当说服，然后才强迫。我们无论如何应当说服，然后才强迫，我们没有能够说服广大群众，于是就破坏了先锋队与群众间的正确相互关系。（请参看《列宁全集》第二十六卷，第二三五页）

列宁在他的《关于职工会》这本小册子内也说了同样的话：

> 只有当我们已经能够给强迫手段建筑起说服手段底基础的时候，我们才算正确地和有成效地使用了强迫手段。（请参看《列宁全集》第二十六卷，第七十四页）

而且这是完全对的。因为没有这些条件则任何领导都是不可能的。因为，如果拿党来说，只有这样才能保证党内行动底一致；如果拿阶级来说，只有这样才能保证阶级行动底一致。没有这一点，就会使工人阶级队伍分裂、涣散和解体。

党底正确领导底基础，大体上就是这样。

凡是拿别的态度来看待领导，那就是工团主义、无政府主义、官僚主义，随便什么都可以——只不是布尔什维主义，只不是列宁主义。

如果在党与工人阶级之间，先锋队与工人阶级之间，已经有正确的相互关系，那么就不能把无产阶级专政与党底领导（“专政”）对立。可是从这里应该得出结论，就是尤其是不能把党与工人阶级，把党底领导（“专政”）与工人阶级底专政当作一个东西。苏林同志，根据关于不能把党底“专政”与无产阶级专政对立起来这一点，便作出了一个不正确的结论，说“无产阶级专政就是我们党底专政”。可是列宁不但说到这样的对立是不容许的，他同时还说到把“群众底专政与领袖底专政”对立起来也是不可容许的。那么，可不可以根据这一点而把领袖底专政与无产阶级底专政当作一个东西呢？如果我们走上这一条路，我们就应当说“无产阶级专政就是我们的领袖底专政”。而把党底“专政”与无产阶级专政看作一个东西的这种政策，实际上正是弄到这样的愚蠢的议论……

季诺维埃夫同志关于这一点的态度是怎样的呢？

季诺维埃夫同志，实质上也与苏林同志底观点一样。把党底“专政”与无产阶级专政看作一个东西，不过有这样的分别，就是苏林同志说得更直接、更明显，而季诺维埃夫同志却在那里说含糊话。只要拿季诺维埃夫底《列宁主义》这本书里的下面一段话来看，就可以相信这一点：

季诺维埃夫说：

> 苏联现存的制度，从它的阶级内容看来是什么呢？这是无产阶级专政。苏联政权底直接弹簧机是怎样的呢？是谁去实现工人阶级底政权呢？是共产党呵！在这个意义上，我们这里是党底专政。苏联政权底法律上的形式是怎样的呢？十月革命所造成的新式国家制度是怎样的呢？这就是苏维埃制度。二者丝毫不相矛盾的。（请参看《列宁主义》第三七〇至第三七一页）

说二者不相矛盾，这当然是对的，如果把党底专政对于整个工人阶级的关系了解为党底领导的话。可是怎能根据这一点就在无产阶级专政与党底“专政”，苏维埃制度与党底“专政”之间划一个等号呢？列宁曾明白地把苏维埃制度与无产阶级专政看作一个东西，而他是对的。因为苏维埃，我们的苏维埃，是劳动群众在党底领导之下团结在无产阶级周围的组织。可是列宁在什么时候、什么地方、在什么著作内，曾把党底“专政”与无产阶级专政，把党底“专政”与苏维埃制度看作相等的东西，如现在季诺维埃夫同志所干的一样呢？不仅只是党底领导（“专政”），而且就是领袖底领导（“专政”）也与无产阶级的专政不相矛盾的。那么，可不可以根据这一点就宣布说，我们的国家是无产阶级专政底国家，就是说，党专政底国家，就是说，领袖专政底国家呢？季诺维埃夫同志所偷着和胆小地实行的“原则”——把党底“专政”与无产阶级专政看作同样的东西，恰巧就要得出这个荒谬的结论。

据我所找到的在列宁底无数著作中，只有五个地方，他曾经顺便提到党底专政。

第一个地方，就是与社会革命党人及孟塞维克的争论，那里他说：

当有人责备我们，说我们是一党专政，而提议——这点你们已经听得——建立社会主义的统一战线时，我们说：“是的，一党专政！

我们是站在这个基础上的，而我们决不能离开这个基础，因为这是这样一个党，这个党在几十年中争得了全体工厂制造厂的和工业的无产阶级底先锋队地位。”（请参看《列宁全集》第二十四卷，第四二三页）

第二个地方，就是在《为战胜高尔察克告工农书》中，那里他说：

有人（特别是孟塞维克及社会革命党人，甚至于他们的“左派”）以所谓“一党专政”，布尔什维克共产党人底专政这些恐吓字眼来恐吓农民。在高尔察克底实例中，农民已经学会不怕什么恐吓字眼了。或者是地主和资本家底专政（就是铁的政权），或者是工人阶级底专政。（请参看《列宁全集》第二十四卷，第四三六页）

第三个地方是列宁在共产国际第二次世界代表大会

上的演说中，在与田纳尔的争辩中。在上面，我已经引了这段演说辞。

第四个地方是在《幼稚病》里面有几行。在上面，我已经把这段话引用过了。

第五个地方是在关于无产阶级专政问题的大纲草稿中，有一个小题目叫做《一党专政》，这个草稿曾在《列宁文集》第三卷里发表（请参看《列宁文集》第三卷第四九七页）。

应当指出，在这五个地方中，有两个地方（第二个地方与第五个地方）的“一党专政”这几个字，列宁是用在括弧以内的，这显然就是指明这个公式底不确切的，是借用的意思。

同样应该指出，在所有这五个地方，关于“党底专政”对于工人阶级的关系，列宁并不是看作照字面本意来讲的专政（“倚靠着暴力的政权”），而是看作党的领导。

值得注意的，就是列宁在他的任何一种主要的或次要的著作中，在解释或提起无产阶级专政及党在无产阶级专政系统中的作用时，都连暗示也没有暗示过，说

"无产阶级底专政就是我们党底专政"。恰巧相反，这些著作底每一页和每一行都是显然反对这个公式的。（请参看《国家与革命》、《无产阶级革命与叛徒考茨基》、《左倾幼稚病》等等。）

更值得注意的，就是在共产国际第二次世界代表大会关于党底作用的提纲中，我们找不到一个字（真正是找不到一个字）是说到党底专政的。而这个提纲却是在列宁直接指导之下规定的，并且列宁曾屡次引用过它，认为是关于党底任务和作用的正确说法底模范。

所有这些都是说明什么呢？

都是说明：

（一）列宁未曾认为"党底专政"这个措辞是无容责备的、精确的措辞，因此这个措辞在列宁底著作中用得非常之少，并且有时还加上括弧；

（二）有少数地方，列宁与敌手辩驳时曾不得已而讲到党底专政，他在那里通常讲的是"一党底专政"，即是说我们党独掌政权，不与别党分掌政权，而且他总是解释道，党底专政对于工人阶级的关系，应当了解为党底领导，党底领导作用；

（三）凡是列宁认为须要以科学精神规定党在无产阶级专政系统中的作用时，他完全只是讲到党对工人阶级的领导作用（这样的情形有几千次）；

（四）正因此列宁“从没有想到”把“党底专政”这个措辞写在关于党底作用的基本决议案内——我所说的就是共产国际第二次世界代表大会底决议案；

（五）有些同志把党底“专政”，因而也是把“领袖底专政”与无产阶级专政看作同样的东西，或者企图看作同样的东西，从列宁主义上看来，他们是不对的，他们在政治上是近视的，因为这样一来他们就是违背先锋队与阶级间正确相互关系的条件。

我还不去说，“党底专政”这个措辞如果没有上述的附带语，可以在我们的实际工作中造成许多危险和政治缺点。使用这个没有附带语的措辞，那就等于：

（一）暗中告诉非党的群众说：不要胆敢反对，不要胆敢议论，因为党无所不能，因为在我们这里是党底专政；

（二）暗中告诉党的干部说：行动要勇敢些，气势要强硬些，也可以不听从非党群众底意见——因为在我们这里是党底专政；

（三）暗中告诉党底上层说：可以任意自满，或许还可以稍许矜夸，因为在我们这里是党底专政，“因而”也是领袖底专政。

正是在现在这时候，指出这些危险是很适宜的，因为现在是群众底政治积极性高涨底时期。这时候党有决心仔细谛听群众底意见，这对于我们有特别的价值；这时候，党很细心地看待群众底要求，这是我们党底基本训条，这时候，党应当在政策方面有特别的审慎性和特别的灵活性，这时候矜夸的危险是党底正确领导群众这事情上所遇到的最严重的危险之一。

不能不记起列宁在我们党底第十一次代表大会上所说过的极宝贵的话。

> 在民众中，我们[1]到底还只是沧海一粟，只有我们正确地表现出人民所觉悟到的东西——只有那时候我们才能够管理国家。没有这一点，共产党就不能领导无产阶级，而无

[1] 共产党人。——斯大林注

产阶级就不能领导群众，整架机器就要倒塌。

（请参看《列宁全集》第二十七卷，第二五六页）

“正确地表现出人民所觉悟到的东西”，这也就是那保证党能够在无产阶级专政底系统中取得基本领导力量这个光荣作用的必要条件。

（二）不仅要教导群众，而且要向群众学习

列宁曾教训我们，不仅要教导群众，而且要向群众学习。

这是什么意思呢？

这就是说，我们领导者，不应当骄傲，而应当了解，我们虽然是中央委员或人民委员，但这还不是说，我们已具有为实行正确领导所必要的一切知识。职位本身并不能给予知识和经验。称号更不必说了。

这就是说，只靠我们自己的经验，只靠领导者的经验，还不足以实行正确的领导。因此，除自己的经验，除领导者之经验以外，还须用群众的经验，用党员群众的经验，用工人阶级的经验，用全国人民的经验，以补不足。

这就是说，一刻也不可以减弱我们与群众的联系，更不必说隔断我们与群众的联系了。

最后这就是说，必须仔细倾听群众之意见，必须仔细倾听平常党员之意见，必须仔细倾听“无关重要的人”的意见，必须倾听全国人民的意见。

什么叫做正确的领导呢？

这绝对不是说坐在办公室里发号施令。

正确领导——这就是说：

第一，必须正确决定问题，而为要正确决定问题，则非估计到群众所有的经验不可；群众是亲身经受到我们的领导之结果的；

第二，必须组织正确决定之执行，而为要组织这种执行，也是非有群众之直接帮助不可；

第三，必须组织对于执行这种决定的情形之审查，而为要组织这个审查，也非有群众之直接帮助不可。

我们，领导者，只是从一方面，可以说，只是从上面看见事物、事变、人；可见我们的眼界，是有多少限制的。反之，群众却是从另一方面，可以说，是从下面看见事物、事变、人；所以他们的眼界，也是有相当的限制。为要得到问题之正确解决，就必须把这两方面的经验综合起来。只有这样，领导才能够是正确的。

不仅要教导群众，而且要向群众学习——其意义就是如此。

且举两个例子，来证明列宁这个原理之正确。

第一个例子。几年以前，我们中央委员，讨论了关于改善顿巴斯工作的问题。重工业人民委员部当时所提出来的办法草案，显然不能令人满意。我们曾接连三次把草案交回重工业人民委员部，我们曾接连三次从重工业人民委员部得到各种各样的草案。可是所有这些草案，没有一个可以认为令人满意的。结果，我们就决定从顿巴斯召来几个工人和普通的经济工作人员和职工会工作人员。我们与这些同志一共谈了三天话。结果，我们大家，中央委员，不得不承认，只有他们这些普通的工作人员，这些所谓“无关重要的人”，才终能指教我们做出正确的决定。你们大概记得中央和人民委员会之有名的关于加强顿巴斯采煤工作办法的决定。而中央和人民委员会这个决定——这个决定已被我们一切同志所公认为正确，甚至于公认为著名的决定——正是由下层的普通人指教我们规定的。

另外一个例子。我所指的就是与尼可拉安科这位女同志有关的例子。尼可拉安科是个什么人呢？尼可拉安科乃是一位平常的党员。她是一个很平常的“不关重要的人”。在整整一年当中，她屡次发出警告说基也辅党组织内情形不好；她屡次揭露滥用私人的现象；她屡次揭露那种以庸俗鄙陋的态度对待工作人员的现象，压制自我批评的现象，托洛斯基暗害分子盘踞重要职位的事实。可是，人们却多方回避了她，好像回避讨厌的苍蝇一样。结果，人们为要完全把她驱逐，竟开除她的党籍。无论是基也辅组织也好，无论是乌克兰共产党（布）中央也好，都没有帮她把问题弄得水落石出。只是因为联共（布）中央出来干涉的结果，才得把这个纠缠不清的结子解开。调查结果查明了什么呢？结果查明了尼可拉安科原来有理，而基也辅组织却原来无理。事实正是如此，毫厘不爽。试问尼可拉安科究竟是个什么人呢？她当然不是中央委员，不是人民委员，不是基也辅省委书记，甚至于不是什么支部书记，她不过是一位平常的普通的党员而已。

你们由此可见，平常的人，有时候，原来比某些高级机关更接近于真理得多。

像这样的例子，还可以举出几十个几百个来。

由此可见，为要领导我们的事业，光靠我们的经验，光靠领导者之经验，还是远不够的。为要实行正确的领导，除有领导者之经验而外，还必须用党员群众之经验，工人阶级之经验，劳动者之经验，所谓“无关重要的人”之经验，以补不足。

在什么情形下才能做到这一步呢？

一定要在这样的情形之下，才能做到这一步，就是说，一定要领导者是与群众有密切的联系，一定要领导者是与党员群众、与工人阶级、与农民、与劳动知识分子有极密切的联系。

与群众发生联系，巩固这种联系，随时都决意倾听群众之意见——这就是布尔什维克领导力量之所在及其必胜不败之原因。

只要布尔什维克保存着他们与广大民众的联系，那他们将一定是必胜不败的——这可以说是一个定律。反之，布尔什维克只要是一脱离群众，一丧失自己与群众的联系，一染上官僚主义的毛病，那他们就会丧失任何的力量，而变成空架子。

在古代希腊人的神话中，曾有一著名的英雄，他名叫安泰；据神话所说，他的父亲是海神波赛东，他的母亲是地神盖娅。他非常敬爱他这位生育抚养、教导了他的母亲。这安泰很有力量，任何人都战他不过；因此大家都叫他是无敌英雄。他为什么这样有力呢？原来是因为每当他与敌人决斗而遇到困难时，他总是在地上，就是说生育和抚养了他的母亲身上靠一靠，因而便取得新的力量。可是，他终究还有一个弱点，就是生怕离开地面。敌人因为知道他这个弱点，所以就时刻等待机会。有一次，他碰到了一个敌人，这敌人利用了他这个弱点，并打败了他。这敌人名叫盖尔枯里斯。可是这敌人是怎样打败他的呢？原来这敌人设法使他离开地面，把他骗入空中，使其无法与地面接触，结果便在空中把他扼死了。

我认为，布尔什维克也好似这个希腊神话中的英雄安泰一样。正像安泰一样，布尔什维克之所以强而有力，就是因为他们与他们那生育、抚养和教导了他们的母亲，即群众，维持着联系。只要是他们与自己的母亲，与人民维持着这种联系，他们将仍有必胜不败之一切可能。这就是布尔什维克所以必胜不败之关键。

二　组织上的领导问题

我已经说过我们的成绩。我已经说过，党的路线，在国民经济和文化方面以及在党内克服反列宁主义的各种派别方面，所获得的胜利。我已经说过，我们的胜利所具有的全世界的历史意义。然而这并不是说，在一切地方在一切事情上获得了胜利，并不是说，一切问题都已解决了。在世界上，这样的成绩和胜利是根本没有的。没有解决的问题和各种缺点，在我们这里还有不少。在我们面前，还有一大堆要来解决的任务。但是这无疑义地是说：刻不容缓的、当前的任务底大部分已经顺利地解决了，而在这个意义上说来，我们党所获得的极伟大的胜利，是无可疑义的。

但是有这样的问题：这种胜利是怎样造成了的？它在事实上是怎样达到了的，经过怎样的斗争，经过了怎样的努力？

有些人认为：只要规定党底正确路线，向大家宣布它，用一般的提纲和决议底形式来叙述它并一致通过它，就足以使胜利自行来到，所谓自流式地来到。这当然是不正确的。这是很大的迷误。只有不可救药的官僚主义者和文牍主义者才能这样想。事实上，这些成绩和胜利不是自流来到的，而是在为实行党底路线而作的残酷斗争中得到的。无论什么时候，胜利都不是自行来到的——它通常是由人们奋斗得来的。拥护党的总路线的良好决议案和宣言——这只是事情底开端，因为它们只能表示取得胜利的愿望，而不能表示胜利本身。在正确的路线已经提出以后，在问题底正确决定已被提出以后，事情是否收成效，这就有赖于组织的工作，有赖于组织斗争去实行党的路线，有赖于正确的挑选人才，有赖于审查领导机关决议底执行程度。没有这一层，党底正确路线和正确决议，就有遭受重大损失的危险。而且：在正确的政治路线定出以后，组织工作便决定一切，就中也决定政治路线本身底命运——政治路线底实行，或者政治路线底失败。

三　分配工作

正确挑选工作人员，正确分配他们工作——这是什么意思呢?

这就是说，在挑选工作人员时，第一是应根据政治的标准，就是说——看他们是否配受政治上的信任；第二，是要根据实事求是的标准，就是说，看他们是否能做某一种具体工作。

这就是说，不要把实事求是的态度变为事务主义的态度，这就是说，不可只注意工作人员之实际工作能力，而不注意他们的政治面貌。

这就是说，不要把政治的标准，变成唯一而详尽无遗的标准，这就是说，不可只注意工作人员之政治面貌，而不注意他们的实际工作能力。

是否可以说，我们的党员同志，是遵行着这个布尔什维主义的规则呢?可惜不可这样说。在这次全会上，同志们已经说到这一点，可是还没有完全说出。问题就在于这个久经考验的规则，在我们的实际工作中往往被人违背到极点。人们在挑选工作人员时，多半不是根据客观的标准，而是根据偶然的、主观的、庸俗而鄙陋的标准。人们所挑选的工作人员，多半都是他们的所谓老相识、朋友、同乡、对他们个人忠实的人物、善于捧自己的上司的老手——而丝毫也不管他们在政治方向和工作能力方面是否胜任。

很明显的，这样挑选出来的一批人，并不是一个领导工作的负责人员集体，而是由亲戚朋友所团聚而成的家庭、伙友会，其中的伙友大家都想和平共居，你不得罪我，我不得罪你，不肯家丑外扬，却彼此吹嘘，互相捧场，并时常向中央递呈空洞而令人喷饭的报捷书。

不难明白，在这样家庭式的环境里，当然既不会有批评工作缺点的余地，也不会有工作领导者实行自我批评的余地。

很明显的，这样一种家庭式的环境，自然使拍马屁的人，丧尽人格观念，因而与布尔什维主义毫不相干的人，容易滋长起来。

试拿米尔作扬与瓦依诺夫两同志做例吧。前者是卡查赫斯坦的边委书记，后者是雅罗斯拉夫省的省委书记。这两个人在我们当中并不是最坏的工作人员。可是他们是怎样挑选工作人员的呢？前者从自己以前做过工作的地点——阿捷尔拜强和乌拉尔——一共随身带了三四十个“自家人”到卡查赫斯坦，并把他们在卡查赫斯坦方面安插了负责的职位。后者——也是从他过去做过工作的地方——顿巴斯——随身带了十多个“自家人”到雅罗斯拉夫省去，也是给他们安插了很负责的职位。由此可见，米尔作扬同志是有自己的伙友会的，瓦依诺夫同志也有自己的伙友会。难道他们没有可能根据人所共知的布尔什维主义挑选和布置人才的规则来从当地的人才中挑选工作人员吗？当然是有可能的。为什么他们没有这样干呢？因为他们违背了布尔什维主义挑选工作人员的规则，而这个规则是绝对不容许以庸俗而鄙陋的态度，绝不容许按亲戚朋友的私人感情的标准去挑选工作人员的。除此而外，这些同志，如此挑选对他们个人忠实的人担任负责工作，他们大概是想给自己造成多少独立的环境，既不依赖于当地的人，也不依赖于党的中央。假定说，米尔作扬和瓦依诺夫两同志因为某种情况，而将由他们现在工作的地点被调到别的地方去，那时候，他们将如何处置他们的“随员”呢？难道他们又得把自己的“随员”带到新的工作地点去吗？

你们看，违反布尔什维主义关于正确挑选和布置工作人员的规则的行动，是可以弄到如何荒谬绝伦的地步。

四 审查工作

审查工作人员，审查工作指示之执行情形——这是什么意思呢？

审查工作人员，这就是说，不是以工作人员之允诺和宣言为标准，而是以他们的工作结果为标准来加以审查。

审查工作指示之执行情形，这就是说，不仅是在办公室里，不仅是按他们的形式上的工作报告来审查，而首先是要在工作地方，按实际的执行结果来审查。

一般说来，是否需要这样的审查呢？是绝对需要的。其所以需要，第一，就是因为只有实行这样的审查，才可以透彻无遗地认识工作人员，查明他的真正品质。其所以需要，第二，就是因为只有实行这样的审查，才可以查明执行机关之优点和缺点。其所以需要，第三，就是因为只有实行这样的审查，才可以查明该工作指示本身之优点和缺点。

有些同志认为，对于工作人员的审查，是可以从上而下来实行，就是领导者根据被领导者之工作结果来审查被领导者。这种想法是不对的。从上而下来审查，当然是需要的，因为这是审查工作人员及审查工作指示之执行情形的有效办法之一。可是，从上而下的审查，还远不能概括整个审查工作。除此而外，还有另外一种审查方法，即从下而上的审查，就是说，由群众，由被领导者来审查领导者，指出他们的错误，并指明改正这些错误之办法。这种审查，乃是最有效的审查工作人员的办法之一。

党员群众，在积极分子会上，在代表会议上，在代表大会上，审查自己的领导者，其方法就是听他们的工作报告，批评他们的缺点，选举或不选举这个或那个领导同志为领导机关的人员。我们党章所要求的民主集中制之在党内确切执行；党机关之毫无条件地以选举手续产生；提出候选人以及取消候选人资格之权利；不公开的投票法；批评和自我批评之自由——所有这些以及诸如此类的办法必须确切实行，以便同时也使党员群众易于审查和监督党领导者。

非党员的群众，在非党员的积极分子会上，在各种各样的群众会议上，审查自己的经济工作的职工会的以及其他的领导者，这些群众，在这些会议上听自己的这些领导者之工作报告，批评缺点，并指出改正这些缺点之办法。

最后，全国人民，在选举苏联之政权机关的时候，用普遍的、平等的、直接的、不公开的选举办法，来审查自己的国家领导者。

任务就在于把从上而下的审查和从下而上的审查联接起来。

附录　支部工作纲要

一　支部是什么?

（一）是党的基本组织。支部由党员直接组织而成，一切党员必须编入支部，同时要有支部的各级领导组织（如区委、县委等），也才有整个的党。因此，支部是党的基本组织。

（二）是党的战斗单位。党是战斗的组织，但是党的一切决议和任务，必须通过去动员与组织群众才能实现，所以支部是党的战斗单位。

（三）是教育党员的讲堂。党员在支部中可以受到先进理论的教育和革命实践的指导，可以提高自己的能力，健全自己的意识，并可提高自己生活的组织性与纪律性，因此，支部是教育党员的讲堂。

（四）是党与群众关系的枢纽。党要使群众了解自己的主张，为自己的主张而努力，那就必须支部的党员在群众中进行广泛的宣传解释工作，同样，党要了解群众对于党的认识，对于党的主张的态度，以及群众的情绪和要求，亦须支部的反映。因此，支部是党与群众关系的枢纽。

（五）是党在群众组织中的核心。支部是群众组织中最积极最有远见的一部分，只有经过支部在群众当中的积极模范作用，才能推动群众组织的发展。因此，支部是群众组织的核心。

二　支部的基本任务

（一）坚持巩固与扩大抗日民族统一战线，坚持统一战线纲领。

（二）动员与组织群众帮助政府做抗战工作。

（三）了解群众的迫切要求，组织与帮助群众在“抗战高丁　切”的原则下进行必要的生活改善。

（四）与群众密切的联系着，倾听群众对我党的意见，向群众解释党的主张，散布党报党刊。

（五）征收和教育新党员。

（六）分配党员的工作，并注意党员对党纪的执行和思想上的坚定。

（七）完成上级指定的工作。

三 支部的组织

（一）支部是按照生产单位来建立的。每个工厂、矿山、作坊、商店、学校、机关、兵营（连队）、街道、乡村内、如有正式党员三人以上时，即得成立一个支部。每个支部至多不得超过二十人。

（二）在每个生产单位中，党员在六人以上时，则应按照生产部门划分小组（每组以三人为宜），在必要时可按当时情形的需要来划分。小组过多或生产部门相距过远时，则须成立分支部。几个分支部合组一个总支部。

（三）小组的领导人为小组长，支部只有三人时，则只需一个支书，不必成立干事会，支部的领导人为支部干事会。支干会以三人组成，分任书记、宣传、组织。总支部的领导机关为总支部委员会，简称总支委。委员人数按分支部的多少来决定。总支委设书记一人，以下就工作需要设立各部门、支部及小组负责人，如支部书记、支部委员及小组长等，应由各该支部及小组的党员推选担任。

（四）在有党员一人或二人工作的学校、工厂中，这些党员得并入邻近的学校、工厂支部。

四　支部的工作

（一）支部负责人怎样工作？

甲、支部书记怎样做？

（1）计划工作。支部工作很多，如无计划的瞎忙，工作一定做不好，因此，在每个月的月初或月终，支书对于整个支部的工作必须拟定计划，交支部干事会通过执行。计划要有中心，要具体，要确切。

（2）计划出来以后，就应当按照各干事、各党员的能力具体分配工作给他们。

（3）随时的检查各干事或党员的工作，经常注意督促他们的工作，根据工作的具体情况和困难给予具体的指示。

（4）注意支部的困难。支书应以身作则，积极工作，对同志要和蔼，要有耐心，帮助同志解决困难，克服弱点，发展长处。

（5）协同各支干处理支部日常事务。遇有重大问题发生，遇有工作中严重问题，遇有同志提出重要意见时，支书应召集支干会或支部会讨论解决。支书并负责提出解决问题的意见。

（6）负责与上级取得密切的联系。

乙、组织干事做什么？

（1）审查新党员，介绍新党员，由组织干事审查后，提出干事会通过。

（2）收集组织材料加以研究，提出发展组织和巩固组织的意见。

（3）收集党费。按月收集党费汇缴上级。

（4）执行纪律。经常留心同志，如有犯纪律的，必须提出处分，或加紧个别教育。

（5）调查统计支部与群众团体的人数，调查支部的周围环境。

（6）了解同志的历史、能力、特长、短处。

丙、宣传干事做什么？

（1）推动宣传工作，收集材料，提出每周宣传要点。

（2）进行教育，提出政治报告要点，提出讨论会讨论题目，审查讨论结论。组织并管理党员流动训练班。

（3）流通书报，管理支部小图书馆，分发文件。

（4）计划推动文化事业，通过群众关系，办理民众夜校等。

（5）检查督促党员对于党报党刊的阅读和推销。

（6）指导党员读书。

（二）支部干事会怎样领导小组？

（1）有小组的支部，其工作重心应该放在小组身上。因为每个小组的工作做好，整个支部的工作也就完成了。

（2）支干会各干事分工管理小组。

（3）上级有指示须迅速传达到小组中去。

（4）帮助小组长计划或布置工作，但不是代替小组长。

（5）有计划的讨论工作，最好与最坏的两种小组的工作。

（6）经常的督促小组长的工作，并随时检查其工作。

（7）倾听小组对于各方面的意见。

（三）小组工作：

小组开会，小组长为主席，小组每星期至少要开会一次，分析时事，检查工作，讨论党报、党刊、社论及专论，听上级的指示，布置工作，小组长在开会前应有准备。如有可能，须将讨论的问题先通知本小组的党员，使大家都充分准备，在会议时更能得到圆满结果，在问题决定后，有工作应当分工，并限定完成日期。分工后小组长要经常督促和检查，以期完成。小组长要经常考查本组党员的生活及行动，有不正确的地方，应帮助他克服。小组长还应与支部领导人取得密切联系，并报告小组的工作，小组的工作也应根据支部的总计划定出本组在某时期内的具体计划来。

（四）支部怎样做组织工作?

（1）抓住工作中心。无论发展党的或群众的组织，都要抓着中心。支部不仅看发展对象是什么工厂，并且还要根据该厂各部门重要性，及其发展情况，决定向那几个部门加紧发展。

（2）同时并进。不是先发展群众组织而后发展党，反之，亦不是先发展党而后发展群众组织，党与群众组织，是同时发展。

（3）抓紧发展机会。在救亡运动开展中，在群众生活等工作中，是暴露群众革命性积极性最好的时机，支部必须抓紧这些机会，严格督促同志，加紧党与群众组织的发展。

（4）审查对象。支部须经常审查周围群众，从这当中拔出哪些是群众中最有威望最有力的分子，哪些是次要分子等，以便得到好的发展。

（5）适当分配同志去发展。支部根据同志能力及与群众的关系，具体分配其发展的数量和质量。

（6）吸收党员职责。介绍新同志入党，支部通过后，便可派人举行入党式，正式吸收入党。恢复或重新介绍旧同志必须上级批准，支部方可执行。

（7）动员群众组织发展组织。支部不断的领导同志在群众组织中提出发展组织的重要，并具体布置分配，在发展组织工作中，同志要建立模范作用。

（五）支部怎样做教育训练工作?

（1）教育目的。提高政治水平，加强马列主义的锻炼；培养工作能力，养成优秀的布尔什维克干部与群众干部。

（2）入党第一课。新党员入党须举行入党式，慎重庄严，其内容，主席宣布开会意义，静默三分钟，纪念马列及其他死难同志，尤其重要提到当地的死难同志，介绍人报告介绍理由及经过，入党人宣读入党誓词，报告入本党动机及今后应如何努力，最后由出席人致训词（参考入党须知），自由谈话。

（3）新党员入党以后，须加以初步教育，教以党员须知与群众运动（如系工人则教以职工运动，妇女则教以妇女运动），同时还须阅读党章，现在还须读新阶段和六中全会决议。

（4）读书会。每周一次，会前规定研究题目，指定参考书报，指定人报告，开会报告后大家讨论，仍由报告人作结论。

（5）经常教育。在每周会议时，注意一周变化之分析，以及在政治上、组织上、工作上经验之检讨，特别是要抓紧同志们在工作中行动上每一具体的实际经验例子来教育同志。

（6）教材。支部设法建立小图书馆，搜集书籍和党报党刊，有计划的分配给同志阅读。

（六）支部怎样做宣传工作？

（1）确实把握着支部宣传对象，支部要切实了解被宣传群众的生活与其对抗战认识的信心、情绪倾向、文化水准等。

（2）正确规定宣传目的。支部任务，根据群众情绪，规定宣传目的，或是提高抗战情绪，增加抗战的认识，坚强抗战胜利的信心，或是瓦解和平倾向，粉碎疑虑心理，又或是提高党在群众中的威信等。

（3）收集宣传材料，阅读报章杂志，搜集宣传标语，宣传大纲，以及前方后方各种实际材料。

（4）怎样规定宣传内容。根据上级指示，或党报言论原则，配合周围实际情形，具体规定宣传内容，如扼要报告战争消息、重要政治事件解释和主张，打击汉奸荒谬言论，宣传群众当兵、群众生活如何改善等。

（5）适当的分配同志去宣传。分配善于讲话的同志到有组织的群众中、会议上、公共场所去宣传，或讲演，分散同志在无组织的群众中进行个别宣传，推动被宣传的群众用各种方式宣传。

（6）推销党报党刊。支部经常分配同志并推动好的群众推销党报党刊，建立读报组或读者会，与群众一同研究党报党刊各种重要论文，并注意研究推销方法。

（七）怎样进行坚持巩固与扩大统一战线的工作？

（1）坚持我党并尊重友党在思想上、政治上和组织上的独立性与自由权。

（2）实行必要的互助互让政策，在一切服从抗日的总原则下，减少不必要的磨擦，调节阶级间的冲突。

（3）“在一切有同盟者存在的地方，遇事应和同盟者协同去干，独断专横把同盟者置之不理的态度是不对的。”

（4）大大发展我党的组织，同时赞助他党特别是国民党的发展，不可忌嫉，不可妨碍。

（5）扩大民众组织，吸收一切抗日的有组织与无组织的群众到统一战线中来。

（6）每个同志在与友党同志接触时，必须消除成见，不能采取傲慢轻视的态度，应采取谦和尊敬的态度，以改善彼此的关系。

（7）每个同志必须接近友党中开明的同志，解释他们对我党的误解，增进彼此的亲密合作。

（8）提高警觉性，揭破汉奸、敌探、托匪破坏统一战线的造谣、挑拨阴谋。

（9）忠实、积极执行统一战线纲领和政府一切抗战的法令。

（八）怎样开展救亡运动？

（1）把握环境。支部是各工厂、学校救亡工作的中心，因此，首先要切实把握着一般群众的救亡情绪。

（2）发展方式。支部正确的运用一般救亡运动的开展，动员群众起来参加救亡运动，与抗战运动相联系，或用歌咏、体育、戏剧等活动来展开救亡工作。总之，工作方式必须适合群众的水平线。

（3）按照群众的需要成立各式各样的群众团体，取得政府或其他主管机关的领导。

（4）动员群众响应政府每一个对于抗战有直接关系的号召，在政府或学校领导下来进行救亡工作，扩大救亡运动。

（5）少做表面的空谈的事情，多做团结组织与教育群众的工作，多做于抗战有帮助的确切工作。

（6）要展开救亡运动，必须同时注意群众生活的必要改善。

（7）每个同志在救亡运动中必须是积极的模范工作运动者，多数群众利益的拥护者，应该不疲倦的教育落后群众，同时，又虚心地向群众学习。

三联经典文库第二辑简目

《游击战教程》　明凡 / 著

《游击战术纲要》　陶剑青 / 编著

《汪精卫卖国的理论与实践》　钱俊瑞 / 著

《抗战以来》　韬奋 / 著

《陕行纪实》　楚云 / 著

《随军散记》　沙汀 / 著

《被日寇囚系半载记》　王研石 / 著

《倭营历险记》　房沧浪等 / 著

《活跃的新西北》　田影 / 编著

《保卫华北的游击战》　刘清扬　陈北鸥等 / 著

《徐州突围》　《徐州突围》编委会 / 编

《沦亡的平津》　长江　小方等 / 著

《淞沪火线上》　胡兰畦等 / 著

《瞻回东战场》　长江　罗平等 / 著

《东线的撤退》　胡兰畦等 / 著

《抗战中的西北》　徐盈 / 著

《鲁闽风云》　徐盈等 / 著

《西线生活》　西北战地服务团集体创作

《中国解放区见闻》 [美]福尔曼著/朱进译

《全面抗战论》 潘汉年/著

《日本的间谍》 范士白自述/尊闻译

《日本大陆政策的真面目》 国难资料编辑社/编

《民众动员论》 李公朴/著

《中国外交史》 钱亦石/编著

《太平洋军事地理》 蒋震华/著

《世界经济地理讲话》 思慕/著

《列强军力论》 [德]马克斯·威纳尔著/宾符 仲持 梅益等译

《近代国际关系史》 张铁生/著

《太平洋现势手册》 沈志远 石啸冲/编著

《近代世界政治史》 钱亦石/著

《从战争到和平——一九四五年的世界政治》 乔木/著

《战后日本问题》 思慕/著

《最近一年间的国际动态(1946.7–1947.6)》 《东北日报》社/编

《论政党》 翟放/著

《法与宪法》 韩幽桐/编著

《中华民国宪法刍议》 罗家衡/著

《民主·宪法·人权——作之民》 费孝通/著

《宪法论初步》 潘念之/著

《对反民主的抗争》 韬奋/著

《农村改进的理论与实际》 江恒源/著

《上海产业与上海职工》(上下)　　朱邦兴　胡林阁　徐声／合编

《陶行知教育论文选辑》　　陶行知著／方与严编

《中国通货膨胀论》　　杨培新／著

《中国及其未完成的革命》　　H·普拉特著／蒋天佐译

《中国的建设问题与人的训练》　　卢作孚／著

《论中国特殊性及其他》　　艾思奇／著

《中国经济问题讲话》　　钱俊瑞　徐雪寒　王渔邨　姜君辰　骆耕漠／合著

《中国经济的道路》　　许涤新／著

《中国财政之病态及其批判》　　孙怀仁／著

《官僚资本论》　　许涤新／著

《五四运动之史的评价》　　陈端志／著

《中国通史简编》(上下)　　中国历史研究会　范文澜／主编

《论文学的工农兵方向——读〈在延安文艺座谈会上的讲话〉》　雪苇／著

《中国近代史（上编　第一分册)》　　武波／编著

《文学百题》　　傅东华／编

《中国史学之进化》　　周谷城／著

《论民族形式问题》　　胡风／著

《论批评》　　荃麟等／著

《中国史纲》(第一卷上下、第二卷上下)　　翦伯赞／著

《近代中国思想学说史》(1–4)　　侯外庐／著

《中国政治思想史》（上下）　吕振羽 / 著

《中国哲学史纲要》　向林冰 / 著

《中国政治史讲话》　钱亦石 / 著

《中国社会经济史纲》　王渔邨 / 著

《新财政学大纲》　千家驹 / 著

《太平天国革命运动论文集——金田起义百周年纪念》

华北大学历史研究室 / 编

《理性与自由——文化思想批评论文集》　胡绳 / 著

《战斗者的诗人》　黄药眠 / 著

《国语文法》　曹朴 / 著

《教育哲学》　张栗原 / 著

《妇女问题讲话》　杜君慧 / 著

《婚姻 · 子女 · 继承》　沙千里 / 著

《性教育新论》　布士克　雅各生合著 / 董秋斯译

《狱中杂感》　杜重远 / 著

《七人之狱》　沙千里 / 著

《爱迪生传》　伍况甫 / 译

《歌德自传》（上下）　歌德著 / 思慕译

《尼赫鲁自传》　［印度］尼赫鲁著 / 毕来译

《列宁传》　［苏］凯尔任采夫著 / 企程　朔望译

《罗斯福总统传》　C. Maokonzie 著 / 张尚之译

《托尔斯泰传》（1–3）　［英］阿尔麦 · 莫德著 / 徐迟译

《革命文豪高尔基》　［美］亚历山大·康恩著/韬奋编译

《鲁迅纪念特辑》　新中国文艺社/编

《回忆鲁迅先生》　萧红/著

《人民文豪鲁迅》　平心/著

《亡友鲁迅印象记》　许寿裳/著

《鲁迅思想研究》　何干之/著

《鲁迅研究》　夏征农/编

《过来的时代：鲁迅论及其他》　雪峰/著

《电影戏剧表演术》　洪深/著

《日常心理漫谈》　［美］约瑟夫·查斯特罗著/曾宝菡译

《心理常识漫话》　朱智贤　杨云美/著

《读书的方法与经验》　王任叔/著

《美国黑人生活纪实》　［美］加德维尔　斯坦倍克著/董秋斯译

《初访美国》　费孝通/著

《事业与成功》　［美］马尔腾著/汪原放译

《萍踪寄语（初集）》　韬奋/著

《一生的幸福前途——〈生活周刊〉信箱选集》　生活书店/编选

《深刻的印象》　生活周刊社/编

《海外的感受》　生活书店编译所/编